# Guy de Maupassant

Bien que ne se reconnaissant d'aucune école, Guy de Maupassant (1850-1893) reste associé au réalisme et au naturalisme. Gustave Flaubert, un ami de la famille, lui fait découvrir très tôt les œuvres d'Alphonse Daudet, de Joris-Karl Huysmans ou encore d'Émile Zola. Si sa nouvelle *Boule de Suif* contribue largement au succès du recueil *Les Soirées de Médan* (1880) considéré comme le manifeste du naturalisme, Maupassant refuse tout dogmatisme. Maître incontesté de la nouvelle, il recherche sans cesse une « vision plus complète, plus saisissante, plus probante que la réalité même » ; il sait, à travers un style simple et précis, créer d'authentiques personnages inoubliables. Parmi ses chefs-d'œuvre, on compte notamment *Boule de Suif* (1880), *Une vie* (1883) ou encore *Le Horla* (1887).

Atteint de troubles nerveux, il meurt en 1893.

DU MÊME AUTEUR
*CHEZ POCKET*

**DANS LA COLLECTION « CLASSIQUES »**

BEL-AMI
BOULE DE SUIF
CONTES DE LA BÉCASSE
LA PEUR ET AUTRES RÉCITS D'ÉPOUVANTE
LE HORLA
PIERRE ET JEAN
UNE VIE

POCKET CLASSIQUES

collection créée par Claude AZIZA

MAUPASSANT

# LE HORLA
## et autres récits fantastiques

*Préface et commentaires de*
*Daniel MORTIER*

Pocket, une marque d'Univers Poche,
est un éditeur qui s'engage pour la préservation
de son environnement et qui utilise du papier fabriqué
à partir de bois provenant de forêts gérées
de manière responsable.



ISBN : 978-2-266-19991-9

# SOMMAIRE

**PRÉFACE** ........ 5

***La main d'écorché*** ........ 13
***Sur l'eau*** ........ 19
***La peur*** ........ 27
***Le loup*** ........ 35
***Conte de Noël*** ........ 41
***Auprès d'un mort*** ........ 47
***Apparition*** ........ 53
***Lui ?*** ........ 61
***La main*** ........ 69
***La chevelure*** ........ 77
***Le tic*** ........ 85
***Un fou ?*** ........ 91
***Lettre d'un fou*** ........ 99
***Un cas de divorce*** ........ 107
***Le Horla*** ........ 115
***La nuit*** ........ 143
***L'homme de Mars*** ........ 149
***Qui sait ?*** ........ 157

**LES CLÉS DE L'ŒUVRE** ........ 171

**I.** *Au fil du texte** : pour découvrir l'essentiel de l'œuvre.

**II.** *Dossier historique et littéraire* : pour ceux qui veulent aller plus loin.

* Pour approfondir votre lecture, *Au fil du texte* vous propose une sélection commentée :
- de morceaux « classiques » devenus incontournables, signalés par ●◆ (droit au but).
- d'extraits représentatifs de l'œuvre, signalés par ⊂◆ (en flânant).

# PRÉFACE

A vingt ans, Maupassant croyait être poète ou auteur de tragédies, choisissant les genres les plus valorisés sinon par ses contemporains, du moins par ses maîtres d'école. Lorsqu'à trente ans il connut son premier succès littéraire, ce ne fut pourtant pas grâce à son volume de poésies mais grâce à un court récit, *Boule-de-suif*, paru la même année, en 1880, dans le recueil collectif des *Soirées de Médan*.

Il publia ensuite, pendant les dix brèves années de lucidité qu'il connut, près de trois cents de ces récits brefs. Mais leur nombre décrut régulièrement après 1885. Les journaux continuaient de les acheter à prix d'or quand ils étaient inédits et de payer fort cher le droit de les reproduire encore plusieurs années plus tard. Maupassant cédait tout simplement au prestige du roman, après avoir constaté que celui-ci, publié d'abord en feuilleton, pouvait procurer, lui aussi, de confortables revenus à un écrivain vivant de sa plume.

Un siècle plus tard, de ses six romans, seuls retiennent l'attention *Une vie* et *Bel-Ami*. Mais nous lisons et relisons avec plaisir ce qu'il appelait ses « petites histoires ». Non sans opérer, il est vrai, une sélection à l'intérieur des recueils publiés par l'auteur. Les aventures mondaines de la petite marquise de Rennedon et de la petite baronne de Grangerie sont sans doute les plus jaunies, ayant vite vieilli comme la plupart des satires sociales. Tout ce qui concerne la défaite militaire de 1870 reste encore étonnamment proche de nous, à cause de ce qui s'est passé en 1940. Les contes « normands » peuvent satisfaire la nostalgie d'une identité paysanne et régionale désormais disparue.

Mais, surtout, ce sont les contes fantastiques qui nous fascinent. Leur auteur ne semble avoir rien de commun avec « Maupassant le bel-ami », semblable au héros qu'il créa, homme à femmes pour qui tout était facile, à la moustache sûre d'elle-même et à la carrure solide, tel que le décrivent ses biographes et tel que l'ont vu souvent ses contemporains. Même si Maupassant cultiva cette image de lui, elle rebute ou elle irrite. Edmond de Goncourt parlait déjà avec mépris de ce « taureau normand » et Jean Lorrain raillait « l'étalon modèle, littéraire et plastique du grand haras Flaubert, Zola et C^ie^, vainqueur à toutes les courses de Cythère et primé jusqu'à Lesbos, couru et hors concours ».

Avec ces contes, nous avons l'impression d'entrer dans les coulisses du théâtre, d'avoir la possibilité de découvrir un autre Maupassant, autrement plus secret et plus fragile, aux obsessions moins communes que celles de l'argent ou du sexe, plus attachant indéniablement. Nous savons en effet par ailleurs qu'il se droguait à l'éther et que, moins de sept ans après avoir publié la *Lettre d'un fou*, il fut interné dans la clinique du D^r^ Blanche, où il délira presque sans répit jusqu'à sa mort un an plus tard.

Pour certains, il est possible de suivre à travers ces récits l'inéluctable progression de la maladie chez Maupassant, jusqu'à la déchéance finale. Le journal d'un fou, en quelque sorte. Maupassant l'avait prévu, puisque, lors de la parution de la première version du *Horla*, il avait dit à son valet de chambre : « J'ai envoyé aujourd'hui le manuscrit du *Horla* ; avant huit jours vous verrez que tous les journaux publieront que je suis fou. »

Pour d'autres, plus prudents, l'auteur dirait sa hantise d'une folie héréditaire. Son oncle Alfred avait en effet souffert d'autoscopie (hallucination répétée par laquelle le malade se voit comme un double), avant de mourir à 36 ans. Sa mère Laure, dès 1878, ne pouvait voir la lumière sans crier de douleur. Et il dut lui-même faire interner à Lyon son frère cadet Hervé, l'entendre lui crier : « Ah !

Guy ! Misérable ! Tu me fais enfermer ! C'est toi qui es fou, tu m'entends ! C'est toi le fou de la famille ! » Et le voir mourir un mois après à 33 ans.

Dans les deux cas Maupassant nous confierait ce qu'il cachait aux autres, lorsqu'il posait en canotier insouciant, en séducteur amateur de propos graveleux, en homme de lettres âpre à défendre ses intérêts financiers ou en snob attiré par les milieux aristocratiques. Entre lui et nous, on pourrait imaginer le même dialogue que celui de Jacques Parent, le héros de l'un des contes, avec le narrateur :

Je balbutiai :
« Tu ne m'avais jamais dit ça ! »
Il reprit :
« Est-ce que j'en parle à personne ? Tiens, écoute, ce soir je ne puis me taire. Et j'aime mieux que tu saches tout. »

(*Un fou ?*)

C'est sans doute arranger à sa guise la réalité. Car nous ne disposons d'aucun journal médical des troubles de Maupassant à la clinique du Dr Blanche. Les quelques rapports qui nous sont parvenus ne permettent pas des rapprochements avec les délires des héros des contes. Ils correspondent en revanche si exactement aux symptômes de la paralysie générale que les psychiatres les utilisent comme une illustration canonique de la maladie. Et même si son oncle et son frère sont morts fous, si sa mère était pour le moins bizarre, Maupassant — les spécialistes s'accordent maintenant là-dessus — n'est pas mort fou, mais syphilitique. Victime du mal du XIXe siècle, traité avec les pitoyables moyens de l'époque dès 1877, causant des douleurs dans l'œil droit à partir de 1880, des perturbations diverses dont une sensation de froid ensuite, gagnant ainsi progressivement le système nerveux et provoquant des désordres mentaux en 1891, terrible variante sur la non moins terrible paralysie générale proprement dite, ultime stade de la syphilis.

Quant à voir dans ces contes la hantise d'une folie perçue comme une menace permanente, c'est oublier qu'une mode littéraire de la névrose s'est développée à partir des années 1880, précisément à l'époque où Maupassant écrivait ses récits. Les fantasmes érotiques évoqués dans *Un cas de divorce* ou dans *Un fou ?* se trouvent dans la littérature médicale du dernier tiers du XIXe siècle, à laquelle Maupassant emprunte comme de nombreux écrivains de son époque. S'il alla écouter les conférences de Charcot, le mardi, à la Salpêtrière, il faut ajouter que celles-ci étaient devenues des événements hebdomadaires mondains.

Autre mode de l'époque : celle de l'inhalation d'éther, peu à peu remplacé d'ailleurs par l'opium. Mais les expériences racontées par Maupassant dans ses contes fantastiques n'ont rien à voir avec celles des éthéromanes ou des opiomanes. Et même les *Contes d'un buveur d'éther* de Jean Lorrain, présentés comme issus de la drogue, paraissent plus souvent puisés dans le fonds de la littérature fantastique que dans la toxicomanie, pourtant avérée, de leur auteur.

Mais, après tout, pourquoi vouloir que l'auteur de contes fantastiques ait lui-même vécu ce qu'il prête à ses héros ? Sans doute, parce que la littérature fantastique se caractérise par un effet produit sur le lecteur, et que celui-ci répugne à l'idée qu'il a été victime d'un effet produit intentionnellement, fabriqué en quelque sorte, et préfère se dire qu'il a entrevu les secrets d'une autre âme, celle de l'auteur en l'occurrence.

La puissance de ces récits qu'on va lire ou relire n'est pas à chercher dans la tragique destinée de leur auteur mais dans leur capacité à satisfaire nos attentes en provoquant un certain nombre d'émotions.

Ils ont d'abord pour caractéristique de ne pas reprendre l'attirail ancien des diables, sorcières ou autres vampires, dont l'efficacité s'est émoussée, au moins en littérature. On trouvera certes un loup monstrueux, mais dans une histoire explicitement située en 1764 et aux allures nettement légendaires, racontée par un vieux marquis qui « avait dû répéter souvent cette histoire, car il la disait couramment, n'hésitant pas sur les mots choisis avec habileté pour faire image » (*Le loup*). Dans les autres contes, Maupassant se contente d'un univers quotidien, regardé avec des yeux de fou. Déjà Nodier écrivait en 1832 : « Je crois me rappeler qu'à la longue nous n'attachâmes guère plus d'importance aux légendes et aux traditions fantastiques que je n'en aurais accordé pour ma part à quelque beau conte moral de M. de Marmontel (...) J'en avais conclu que la bonne histoire fantastique d'une époque sans croyances ne pouvait être placée convenablement que dans la bouche d'un fou. »

En puisant ses matériaux dans les manuels psychiatriques, en se référant aux découvertes de Charcot, ou tout simplement en évoquant, comme dans *L'homme de Mars*, l'éventualité d'autres mondes habités, Maupassant nous ôte la possibilité de douter de la réalité de ce qu'il nous raconte. L'asile dans lequel finissent certains de ses héros a autant de réalité que la Grenouillère ou les boulevards parisiens mentionnés dans *Le Horla*.

En même temps qu'il « modernise » le fantastique, Maupassant se concentre sur ce qui peut être considéré comme son effet majeur. Ses contes, destinés, comme l'on dit, à faire peur, racontent souvent des moments de peur intenses vécus par des héros par ailleurs intrépides : « Oui, j'ai subi l'horrible épouvante, pendant dix minutes, d'une telle façon que depuis cette heure une sorte de terreur constante m'est restée dans l'âme (...) Devant les dangers imaginaires, je n'ai jamais reculé, mesdames », déclare le vieux marquis de la Tour-Samuel, le héros d'*Apparition*.

Pour entrer dans ce monde, il n'est pas besoin de croire au surnaturel ni même au supra-naturel. Il suffit d'admettre avec la plupart de ses héros que « nous ne communiquons avec les choses que par nos sens, incomplets, infirmes, si faibles qu'ils ont à peine la puissance de constater ce qui nous entoure » (*Un fou ?*). Réduit à cette proposition, le pessimisme de Schopenhauer, le « vieux démolisseur » (*Auprès d'un mort*), ne peut qu'être partagé, d'innombrables découvertes scientifiques étant venues s'ajouter à celles de Mesmer pour nous faire entrevoir tout un monde invisible. Il n'est pas non plus nécessaire de partager les effrois des contemporains de Maupassant devant les implications possibles de la théorie darwinienne, pour se demander, comme le narrateur du *Horla* : « Un être nouveau ! Pourquoi pas ? Il devait venir assurément ! pourquoi serions-nous les derniers ! Nous ne le distinguons point, ainsi que tous les autres créés avant nous ? » (*Le Horla*).

Et il n'y a aucune raison de se méfier des héros. Chez

Hoffmann, ils ont ce que leur auteur appelle de l'« enthousiasme », c'est-à-dire un sixième sens qui leur permet d'accéder à des phénomènes cachés. Ici, ils ressemblent plutôt à ceux d'Edgar Poe. Ils sont raisonnables : « je ne crois qu'aux causes normales », dit l'un d'entre eux (*La main*). Un autre est un vieux « canotier enragé » (*Sur l'eau*). Parfois, un personnage de médecin ou tout simplement le narrateur viennent confirmer la réalité de ce qui est raconté : « je n'ai pu refuser de l'attester par écrit », précise le Docteur Bonenfant (*Conte de Noël*).

Et si Maupassant s'est inspiré de ses propres expériences toxicologiques, c'est peut-être en prêtant à ses personnages une constante lucidité. Comme le drogué sous éther, le narrateur-héros du *Horla*, des *Lettres d'un fou* et de *Lui ?* est étonnamment conscient de tout ce qui se passe en lui et autour de lui : « Qui, Il ? Je sais bien qu'il n'existe pas, que ce n'est rien ! Il n'existe que dans mon appréhension, que dans ma crainte, que dans mon angoisse ! »

On remarquera d'ailleurs que la plupart de ces récits sont racontés à la première personne : lettres, journal intime qui nous est directement livré (*Le Horla*) ou transcrit par un narrateur à qui un médecin l'a montré (*La chevelure*), ou encore lu devant un tribunal (*Un cas de divorce*). Parfois aussi, au cours d'une réunion, quelqu'un prend la parole, pour raconter « son » histoire. Ces contes empruntent au genre autobiographique son effet de réel : nous avons l'impression d'être devant une expérience qui a été « vraiment » vécue.

Ce d'autant plus que, parlant à la première personne et s'adressant par écrit ou verbalement à un ou plusieurs destinataires, qui sont censés être incrédules, le narrateur-héros est dans la situation d'un conteur (on appelle ces récits des contes et non des nouvelles). Non seulement il raconte, mais encore il s'efforce explicitement de convaincre et il nous prend constamment, comme l'on dit, à témoin : « Je vais vous dire l'aventure telle quelle, sans chercher à l'expliquer. Il est bien certain qu'elle est explicable, à moins que je n'aie eu mon heure de folie. Mais non, je n'ai pas été fou, et je vous en donnerai la preuve. Imaginez ce que vous voudrez. Voici les faits tout simples » (*Apparition*).

Même le narrateur de la seconde version du *Horla* cherche à convaincre quelqu'un, alors qu'il semble ne dialoguer qu'avec lui-même dans son journal : « Mais, direz-vous, le papillon ! une fleur qui vole ! »

Grâce à la première personne, en outre, notre distance par rapport aux héros est réduite. Nous ne pouvons que les suivre, quand, comme c'est souvent le cas, ils oscillent entre l'acceptation de l'extraordinaire et le rejet de celui-ci, imputé à une hallucination ou un trouble passager. Au fond, ces héros font ce que nous faisons, nous, lecteurs, devant de telles histoires.

La fin du récit est toujours telle que le lecteur ne puisse guère parvenir, sinon par ses propres moyens et avec ses propres convictions, à une résolution de l'hésitation. Dans *Sur l'eau*, la nuit se dissipe et un pêcheur retrouve le héros, mais la réalité de ce qui s'est passé n'est pas pour autant remise en cause, puisque les deux hommes découvrent, accroché à l'ancre de la barque, le cadavre d'une vieille femme qui avait une grosse pierre au cou.

Le plaisir que nous en tirons dépend bien sûr de notre attente. Il y a, nous l'avons vu, celui de pénétrer dans l'intimité de la personnalité d'un écrivain, de découvrir ses fantasmes, ses obsessions ou les symptômes de sa maladie. Il y a aussi le plaisir de voir le réalisme, le bon sens ou même la science aux prises avec les craintes ancestrales, les forces obscures, les phénomènes inexplicables, pour finalement les admettre. Le plaisir également qu'on peut ressentir devant toutes les histoires qui non seulement sont bien racontées, mais encore *nous* sont racontées, par un narrateur qui considère à juste titre que les adultes aiment parfois à jouer, comme les enfants, à « fais-moi peur ».

Note sur la présente édition : les textes retenus sont ceux des *Œuvres complètes illustrées de Guy de Maupassant*, Ollendorf, 1899-1904 et 1912, à l'exception de celui de *La main d'écorché*, qui suit la version de *L'Almanach lorrain de Pont-à-Mousson*.

# LA MAIN D'ÉCORCHÉ

Il y a huit mois environ, un de mes amis, Louis R..., avait réuni, un soir, quelques camarades de collège ; nous buvions du punch et nous fumions en causant littérature, peinture, et en racontant, de temps à autre, quelques joyeusetés, ainsi que cela se pratique dans les réunions de jeunes gens. Tout à coup la porte s'ouvre toute grande et un de mes bons amis d'enfance entre comme un ouragan. « Devinez d'où je viens, s'écria-t-il aussitôt. — Je parie pour Mabille, répond l'un, — non, tu es trop gai, tu viens d'emprunter de l'argent, d'enterrer ton oncle, ou de mettre ta montre chez ma tante, reprend un autre. — Tu viens de te griser, riposte un troisième, et comme tu as senti le punch chez Louis, tu es monté pour recommencer. — Vous n'y êtes point, je viens de P... en Normandie, où j'ai été passer huit jours et d'où je rapporte un grand criminel de mes amis que je vous demande la permission de vous présenter. » A ces mots, il tira de sa poche une main d'écorché ; cette main était affreuse, noire, sèche, très longue et comme crispée, les muscles, d'une force extraordinaire, étaient retenus à l'intérieur et à l'extérieur par une lanière de peau parcheminée, les ongles jaunes, étroits, étaient restés au bout des doigts ; tout cela sentait le scélérat d'une lieue. « Figurez-vous, dit mon ami, qu'on vendait l'autre jour les défroques d'un vieux sorcier bien connu dans toute la contrée ; il allait au sabbat tous les samedis sur un manche à balai, pratiquait la magie blanche et noire, donnait aux vaches du lait bleu et leur faisait porter la queue comme celle du compagnon de saint Antoine. Toujours est-il que ce vieux gredin avait une grande affection pour cette main, qui, disait-il, était celle d'un célèbre criminel supplicié en 1736, pour avoir jeté, la tête la première, dans un puits sa femme légitime, ce quoi faisant je trouve qu'il n'avait pas tort, puis pendu au clocher de l'église le curé qui l'avait marié. Après ce double exploit, il était allé courir le monde et dans sa carrière aussi courte que bien remplie, il avait détroussé douze voyageurs, enfumé une vingtaine de moines dans leur couvent et fait un sérail d'un monastère de religieuses. — Mais que vas-tu faire de cette horreur ? nous écriâmes-nous. — Eh parbleu, j'en ferai mon bouton de sonnette pour effrayer mes créanciers. — Mon ami, dit Henri Smith, un grand Anglais très flegmatique, je crois que cette main est tout simplement de la viande indienne conservée par le procédé nouveau, je te conseille d'en faire du bouillon. — Ne raillez pas, messieurs, reprit avec le plus grand sang-froid un étudiant en médecine aux trois quarts gris, et toi, Pierre, si j'ai un conseil à te donner, fais enterrer chrétiennement ce débris humain, de crainte que son propriétaire ne vienne te le redemander ; et puis, elle a peut-être pris de mauvaises habitudes cette main, car tu sais le proverbe : "Qui a tué tuera." — Et qui a bu boira », reprit l'amphitryon. Là-dessus il versa à l'étudiant un grand verre de punch, l'autre l'avala d'un seul trait et tomba ivre-mort sous la table. Cette sortie fut accueillie par des rires formidables, et Pierre élevant son verre et saluant la main : « Je bois, dit-il, à la prochaine visite de ton maître », puis on parla d'autre chose et chacun rentra chez soi.

Le lendemain, comme je passais devant sa porte, j'entrai chez lui, il était environ deux heures, je le trouvai lisant et fumant. « Eh bien, comment vas-tu ? lui dis-je. — Très bien, me répondit-il. — Et ta main ? — Ma main, tu as dû la voir à ma sonnette où je l'ai mise hier soir en rentrant, mais à ce propos figure-toi qu'un imbécile quelconque, sans doute pour me faire une mauvaise farce, est venu carillonner à ma porte vers minuit ; j'ai demandé qui était là, mais comme personne ne me répondait, je me suis recouché et rendormi. »

En ce moment, on sonna, c'était le propriétaire, personnage grossier et fort impertinent. Il entra sans saluer. « Monsieur, dit-il à mon ami, je vous prie d'enlever immédiatement la charogne que vous avez pendue à votre cordon de sonnette, sans quoi je me verrai forcé de vous donner congé. — Monsieur, reprit Pierre avec beaucoup de gravité, vous insultez une main qui ne le mérite pas, sachez qu'elle a appartenu à un homme fort bien élevé. » Le propriétaire tourna les talons et sortit comme il était entré. Pierre le suivit, décrocha sa main et l'attacha à la sonnette pendue dans son alcôve. « Cela vaut mieux, dit-il, cette main, comme le "Frère, il faut mourir" des Trappistes, me donnera des pensées sérieuses tous les soirs en m'endormant. » Au bout d'une heure je le quittai et je rentrai à mon domicile.

Je dormis mal la nuit suivante, j'étais agité, nerveux ; plusieurs fois je me réveillai en sursaut, un moment même je me figurai qu'un homme s'était introduit chez moi et je me levai pour regarder dans mes armoires et sous mon lit ; enfin, vers six heures du matin, comme je commençais à m'assoupir, un coup violent frappé à ma porte, me fit sauter du lit ; c'était le domestique de mon ami, à peine vêtu, pâle et tremblant. « Ah monsieur ! s'écria-t-il en sanglotant, mon pauvre maître qu'on a assassiné. » Je m'habillai à la hâte et je courus chez Pierre. La maison était pleine de monde, on discutait, on s'agitait, c'était un mouvement incessant, chacun pérorait, racontait et commentait l'événement de toutes les façons. Je parvins à grand-peine jusqu'à la chambre, la porte était gardée, je me nommai, on me laissa entrer. Quatre agents de la police étaient debout au milieu, un carnet à la main, ils examinaient, se parlaient bas de temps en temps et écrivaient ; deux docteurs causaient près du lit sur lequel Pierre était étendu sans connaissance. Il n'était pas mort, mais il avait un aspect effrayant. Ses yeux démesurément ouverts, ses prunelles dilatées semblaient regarder fixement avec une indicible épouvante une chose horrible et inconnue, ses doigts étaient crispés, son corps, à partir du menton, était recouvert d'un drap que je soulevai. Il portait au cou les marques de cinq doigts qui s'étaient profondément enfoncés dans la chair, quelques gouttes de sang maculaient sa chemise. En ce moment une chose me frappa, je regardai par hasard la sonnette de son alcôve, la main d'écorché n'y était plus. Les médecins l'avaient sans doute enlevée pour ne point impressionner les personnes qui entreraient dans la chambre du blessé, car cette main était vraiment affreuse. Je ne m'informai point de ce qu'elle était devenue.

Je coupe maintenant, dans un journal du lendemain, le récit du crime avec tous les détails que la police a pu se procurer. Voici ce qu'on y lisait :

« Un attentat horrible a été commis hier sur la personne d'un jeune homme, M. Pierre B..., étudiant en droit, qui appartient à une des meilleures familles de Normandie. Ce jeune homme était rentré chez lui vers dix heures du soir, il renvoya son domestique, le sieur Bouvin, en lui disant qu'il était fatigué et qu'il allait se mettre au lit. Vers minuit, cet homme fut réveillé tout à coup par la sonnette de son maître qu'on agitait avec fureur. Il eut peur, alluma une lumière et attendit ; la sonnette se tut environ une minute, puis reprit avec une telle force que le domestique, éperdu de terreur, se précipita hors de sa chambre et alla réveiller le concierge, ce dernier courut avertir la police et, au bout d'un quart d'heure environ, deux agents enfonçaient la porte. Un spectacle horrible s'offrit à leurs yeux, les meubles étaient renversés, tout annonçait qu'une lutte terrible avait eu lieu entre la victime et le malfaiteur. Au milieu de la chambre, sur le dos, les membres raides, la face livide et les yeux effroyablement dilatés, le jeune Pierre B... gisait sans mouvement ; il portait au cou les empreintes profondes de cinq doigts. Le rapport du docteur Bourdeau, appelé immédiatement, dit que l'agresseur devait être doué d'une force prodigieuse et avoir une main extraordinairement maigre et nerveuse, car les doigts qui ont laissé dans le cou comme cinq trous de balle s'étaient presque rejoints à travers les chairs. Rien ne peut faire soupçonner le mobile du crime, ni quel peut en être l'auteur. La justice informe. »

On lisait le lendemain dans le même journal :

« M. Pierre B..., la victime de l'effroyable attentat que

nous racontions hier, a repris connaissance après deux heures de soins assidus donnés par M. le docteur Bourdeau. Sa vie n'est pas en danger, mais on craint fortement pour sa raison ; on n'a aucune trace du coupable. »

En effet, mon pauvre ami était fou ; pendant sept mois, j'allai le voir tous les jours à l'hospice où nous l'avions placé, mais il ne recouvra pas une lueur de raison. Dans son délire, il lui échappait des paroles étranges et, comme tous les fous, il avait une idée fixe, il se croyait toujours poursuivi par un spectre. Un jour, on vint me chercher en toute hâte en me disant qu'il allait plus mal, je le trouvai à l'agonie. Pendant deux heures, il resta fort calme, puis tout à coup, se dressant sur son lit malgré nos efforts, il s'écria en agitant les bras et comme en proie à une épouvantable terreur : « Prends-la ! prends-la ! Il m'étrangle, au secours, au secours ! » Il fit deux fois le tour de la chambre en hurlant, puis il tomba mort, la face contre terre.

Comme il était orphelin, je fus chargé de conduire son corps au petit village de P... en Normandie, où ses parents étaient enterrés. C'est de ce même village qu'il venait, le soir où il nous avait trouvés buvant du punch chez Louis R... et où il nous avait présenté sa main d'écorché. Son corps fut enfermé dans un cercueil de plomb, et quatre jours après, je me promenais tristement avec le vieux curé qui lui avait donné ses premières leçons, dans le petit cimetière où l'on creusait sa tombe. Il faisait un temps magnifique, le ciel tout bleu ruisselait de lumière, les oiseaux chantaient dans les ronces du talus, où bien des fois, enfants tous deux, nous étions venus manger des mûres. Il me semblait encore le voir se faufiler le long de la haie et se glisser par le petit trou que je connaissais bien, là-bas, tout au bout du terrain où l'on enterre les pauvres, puis nous revenions à la maison, les joues et les lèvres noires du jus des fruits que nous avions mangés ; et je regardai les ronces, elles étaient couvertes de mûres ; machinalement j'en pris une, et je la portai à ma bouche ; le curé avait ouvert son bréviaire et marmottait tout bas ses *oremus*, et j'entendais au bout de l'allée la bêche des fossoyeurs qui creusaient la tombe. Tout à coup, ils nous appelèrent, le curé ferma son livre et nous allâmes voir ce qu'ils nous voulaient. Ils avaient trouvé un cercueil. D'un coup de pioche, ils firent sauter le couvercle et nous aperçûmes un squelette démesurément long, couché sur le dos, qui, de son œil creux, semblait encore nous regarder et nous défier ; j'éprouvai un malaise, je ne sais pourquoi j'eus presque peur. « Tiens ! s'écria un des hommes, regardez donc, le gredin a un poignet coupé, voilà sa main. » Et il ramassa à côté du corps une grande main desséchée qu'il nous présenta. « Dis donc, fit l'autre en riant, on dirait qu'il te regarde et qu'il va te sauter à la gorge pour que tu lui rendes sa main. — Allons mes amis, dit le curé, laissez les morts en paix et refermez ce cercueil, nous creuserons autre part la tombe de ce pauvre monsieur Pierre. »

Le lendemain tout était fini et je reprenais la route de Paris après avoir laissé cinquante francs au vieux curé pour dire des messes pour le repos de l'âme de celui dont nous avions ainsi troublé la sépulture.

# SUR L'EAU

J'avais loué, l'été dernier, une petite maison de campagne au bord de la Seine, à plusieurs lieues de Paris, et j'allais y coucher tous les soirs. Je fis, au bout de quelques jours, la connaissance d'un de mes voisins, un homme de trente à quarante ans, qui était bien le type le plus curieux que j'eusse jamais vu. C'était un vieux canotier, mais un canotier enragé, toujours près de l'eau, toujours sur l'eau, toujours dans l'eau. Il devait être né dans un canot, et il mourra bien certainement dans le canotage final.

Un soir que nous nous promenions au bord de la Seine, je lui demandai de me raconter quelques anecdotes de sa vie nautique. Voilà immédiatement mon bonhomme qui s'anime, se transfigure, devient éloquent, presque poète. Il avait dans le cœur une grande passion, une passion dévorante, irrésistible : la rivière.

— Ah ! me dit-il, combien j'ai de souvenirs sur cette rivière que vous voyez couler là près de nous ! Vous autres, habitants des rues, vous ne savez pas ce qu'est la rivière. Mais écoutez un pêcheur prononcer ce mot. Pour lui, c'est la chose mystérieuse, profonde, inconnue, le pays des mirages et des fantasmagories, où l'on voit, la nuit, des choses qui ne sont pas, où l'on entend des bruits que l'on ne connaît point, où l'on tremble sans savoir pourquoi, comme en traversant un cimetière : et c'est en effet le plus sinistre des cimetières, celui où l'on n'a point de tombeau.

La terre est bornée pour le pêcheur, et dans l'ombre, quand il n'y a pas de lune, la rivière est illimitée. Un marin n'éprouve point la même chose pour la mer. Elle est souvent dure et méchante, c'est vrai, mais elle crie, elle hurle, elle est loyale, la grande mer ; tandis que la rivière est silencieuse et perfide. Elle ne gronde pas, elle coule toujours sans bruit, et ce mouvement éternel de l'eau qui coule est plus effrayant pour moi que les hautes vagues de l'Océan.

Des rêveurs prétendent que la mer cache dans son sein d'immenses pays bleuâtres, où les noyés roulent parmi les grands poissons, au milieu d'étranges forêts et dans des grottes de cristal. La rivière n'a que des profondeurs noires où l'on pourrit dans la vase. Elle est belle pourtant quand elle brille au soleil levant et qu'elle clapote doucement entre ses berges couvertes de roseaux qui murmurent.

Le poète dit en parlant de l'Océan :

*O flots, que vous savez de lugubres histoires !*
*Flots profonds, redoutés des mères à genoux,*
*Vous vous les racontez en montant les marées*
*Et c'est ce qui vous fait ces voix désespérées*
*Que vous avez le soir, quand vous venez vers nous.*

Eh bien, je crois que les histoires chuchotées par les roseaux minces avec leurs petites voix si douces doivent être encore plus sinistres que les drames lugubres racontés par les hurlements des vagues.

Mais puisque vous me demandez quelques-uns de mes souvenirs, je vais vous dire une singulière aventure qui m'est arrivée ici, il y a une dizaine d'années.

J'habitais, comme aujourd'hui, la maison de la mère Lafon, et un de mes meilleurs camarades, Louis Bernet, qui a maintenant renoncé au canotage, à ses pompes et à son débraillé pour entrer au Conseil d'Etat, était installé au village de C..., deux lieues plus bas. Nous dînions tous les jours ensemble, tantôt chez lui, tantôt chez moi.

Un soir, comme je revenais tout seul et assez fatigué, traînant péniblement mon gros bateau, un *océan* de douze pieds, dont je me servais toujours la nuit, je m'arrêtai quelques secondes pour reprendre haleine auprès de la pointe des roseaux, là-bas, deux cents mètres environ avant le pont du chemin de fer. Il faisait un temps magnifique ; la lune resplendissait, le fleuve brillait, l'air était calme et doux. Cette tranquillité me tenta ; je me dis qu'il ferait bien bon fumer une pipe en cet endroit. L'action suivit la pensée ; je saisis mon ancre et la jetai dans la rivière.

Le canot, qui redescendait avec le courant, fila sa chaîne jusqu'au bout, puis s'arrêta ; et je m'assis à l'arrière sur ma peau de mouton, aussi commodément qu'il me fut possible. On n'entendait rien, rien : parfois seulement, je croyais saisir un petit clapotement presque insensible de l'eau contre la rive, et j'apercevais des groupes de roseaux plus élevés qui prenaient des figures surprenantes et semblaient par moments s'agiter.

Le fleuve était parfaitement tranquille, mais je me sentis ému par le silence extraordinaire qui m'entourait. Toutes les bêtes, grenouilles et crapauds, ces chanteurs nocturnes des marécages, se taisaient. Soudain, à ma droite, contre moi, une grenouille coassa. Je tressaillis : elle se tut ; je n'entendis plus rien, et je résolus de fumer un peu pour me distraire. Cependant, quoique je fusse un culotteur de pipes renommé, je ne pus pas ; dès la seconde bouffée, le cœur me tourna et je cessai. Je me mis à chantonner ; le son de ma voix m'était pénible ; alors, je m'étendis au fond du bateau et je regardai le ciel. Pendant quelque temps, je demeurai tranquille, mais bientôt les légers mouvements de la barque m'inquiétèrent. Il me sembla qu'elle faisait des embardées gigantesques, touchant tour à tour les deux berges du fleuve ; puis je crus qu'un être ou qu'une force invisible l'attirait doucement au fond de l'eau et la soulevait ensuite pour la laisser retomber. J'étais ballotté comme au milieu d'une tempête ; j'entendis des bruits autour de moi ; je me dressai d'un bond : l'eau brillait, tout était calme.

Je compris que j'avais les nerfs un peu ébranlés et je résolus de m'en aller. Je tirai sur ma chaîne ; le canot se mit en mouvement, puis je sentis une résistance, je tirai plus fort, l'ancre ne vint pas ; elle avait accroché quelque chose au fond de l'eau et je ne pouvais la soulever ; je recommençai à tirer, mais inutilement. Alors, avec mes avirons, je fis tourner mon bateau et je le portai en amont pour changer la position de l'ancre. Ce fut en vain, elle tenait toujours ; je fus pris de colère et je secouai la chaîne rageusement. Rien ne remua. Je m'assis découragé et je me mis à réfléchir sur ma position. Je ne pouvais songer à casser cette chaîne ni à la séparer de l'embarcation, car elle était énorme et rivée à l'avant dans un morceau de bois plus gros que mon bras ; mais comme le temps demeurait fort beau, je pensai que je ne tarderais point, sans doute, à rencontrer quelque pêcheur qui viendrait à mon secours. Ma mésaventure m'avait calmé ; je m'assis et je pus enfin fumer ma pipe. Je possédais une bouteille de rhum, j'en bus deux ou trois verres, et ma situation me fit rire. Il faisait très chaud, de sorte qu'à la rigueur je pouvais, sans grand mal, passer la nuit à la belle étoile.

Soudain, un petit coup sonna contre mon bordage. Je fis un soubresaut, et une sueur froide me glaça des pieds à la tête. Ce bruit venait sans doute de quelque bout de bois entraîné par le courant, mais cela avait suffi et je me sentis envahi de nouveau par une étrange agitation nerveuse. Je saisis ma chaîne et je me raidis dans un effort désespéré. L'ancre tint bon. Je me rassis épuisé.

Cependant, la rivière s'était peu à peu couverte d'un brouillard blanc très épais qui rampait sur l'eau fort bas, de sorte que, en me dressant debout, je ne voyais plus le fleuve, ni mes pieds, ni mon bateau, mais j'apercevais seulement les pointes des roseaux, puis, plus loin, la plaine toute pâle de la lumière de la lune, avec de grandes taches noires qui montaient dans le ciel, formées par des groupes de peupliers d'Italie. J'étais comme enseveli jusqu'à la ceinture dans une nappe de coton d'une blancheur singulière, et il me venait des imaginations fantastiques. Je me figurais qu'on essayait de monter dans ma barque que je ne pouvais plus distinguer, et que la rivière, cachée par ce brouillard opaque, devait être pleine d'êtres étranges qui nageaient autour de moi. J'éprouvais un malaise horrible, j'avais les tempes serrées, mon cœur battait à m'étouffer ; et, perdant la tête, je pensai à me sauver à la nage ; puis aussitôt cette idée me fit frissonner d'épouvante. Je me vis, perdu, allant à l'aventure dans cette brume épaisse, me débattant au milieu des herbes et des roseaux que je ne pourrais éviter, râlant de peur, ne voyant pas la berge, ne retrouvant plus mon bateau, et il me semblait que je me sentirais tiré par les pieds tout au fond de cette eau noire.

En effet, comme il m'eût fallu remonter le courant au moins pendant cinq cents mètres avant de trouver un point libre d'herbes et de joncs où je pusse prendre pied, il y avait pour moi neuf chances sur dix de ne pouvoir me diriger dans ce brouillard et de me noyer, quelque bon nageur que je fusse.

J'essayai de me raisonner. Je me sentais la volonté bien ferme de ne point avoir peur, mais il y avait en moi autre chose que ma volonté, et cette autre chose avait peur. Je me demandai ce que je pouvais redouter ; mon *moi* brave railla mon *moi* poltron, et jamais aussi bien que ce jour-là je ne saisis l'opposition des deux êtres qui sont en nous, l'un voulant, l'autre résistant, et chacun l'emportant tour à tour.

Cet effroi bête et inexplicable grandissait toujours et devenait de la terreur. Je demeurais immobile, les yeux ouverts, l'oreille tendue et attendant. Quoi ? Je n'en savais rien, mais ce devait être terrible. Je crois que si un poisson se fût avisé de sauter hors de l'eau, comme cela arrive souvent, il n'en aurait pas fallu davantage pour me faire tomber raide, sans connaissance.

Cependant, par un effort violent, je finis par ressaisir à peu près ma raison qui m'échappait. Je pris de nouveau ma bouteille de rhum et je bus à grands traits. Alors une idée me vint et je me mis à crier de toutes mes forces en me tournant successivement vers les quatre points de l'horizon. Lorsque mon gosier fut absolument paralysé, j'écoutai. — Un chien hurlait, très loin.

Je bus encore et je m'étendis tout de mon long au fond du bateau. Je restai ainsi peut-être une heure, peut-être deux, sans dormir, les yeux ouverts, avec des cauchemars autour de moi. Je n'osais pas me lever et pourtant je le désirais violemment ; je remettais de minute en minute. Je me disais : « Allons, debout ! » et j'avais peur de faire un mouvement. A la fin, je me soulevai avec des précautions infinies, comme si ma vie eût dépendu du moindre bruit que j'aurais fait, et je regardai par-dessus le bord.

Je fus ébloui par le plus merveilleux, le plus étonnant spectacle qu'il soit possible de voir. C'était une de ces fantasmagories du pays des fées, une de ces visions racontées par les voyageurs qui reviennent de très loin et que nous écoutons sans les croire.

Le brouillard qui, deux heures auparavant, flottait sur l'eau, s'était peu à peu retiré et ramassé sur les rives. Laissant le fleuve absolument libre, il avait formé sur chaque berge une colline ininterrompue, haute de six ou sept mètres, qui brillait sous la lune avec l'éclat superbe des neiges. De sorte qu'on ne voyait rien autre chose que cette rivière lamée de feu entre ces deux montagnes blanches ; et là-haut, sur ma tête, s'étalait, pleine et large, une grande lune illuminante au milieu d'un ciel bleuâtre et laiteux.

Toutes les bêtes de l'eau s'étaient réveillées ; les grenouilles coassaient furieusement, tandis que, d'instant en instant, tantôt à droite, tantôt à gauche, j'entendais cette note courte, monotone et triste, que jette aux étoiles la voix cuivrée des crapauds. Chose étrange, je n'avais plus peur ; j'étais au milieu d'un paysage tellement extraordinaire que les singularités les plus fortes n'eussent pu m'étonner.

Combien de temps cela dura-t-il, je n'en sais rien, car j'avais fini par m'assoupir. Quand je rouvris les yeux, la lune était couchée, le ciel plein de nuages. L'eau clapotait lugubrement, le vent soufflait, il faisait froid, l'obscurité était profonde.

Je bus ce qui me restait de rhum, puis j'écoutai en grelottant le froissement des roseaux et le bruit sinistre de la rivière. Je cherchai à voir, mais je ne pus distinguer mon bateau, ni mes mains elles-mêmes, que j'approchais de mes yeux.

Peu à peu, cependant, l'épaisseur du noir diminua. Soudain je crus sentir qu'une ombre glissait tout près de moi ; je poussai un cri, une voix répondit ; c'était un pêcheur. Je l'appelai, il s'approcha et je lui racontai ma mésaventure. Il mit alors son bateau bord à bord avec le mien, et tous les deux nous tirâmes sur la chaîne. L'ancre ne remua pas. Le jour venait, sombre, gris, pluvieux, glacial, une de ces journées qui vous apportent des tristesses et des malheurs. J'aperçus une autre barque, nous la hélâmes. L'homme qui la montait unit ses efforts aux nôtres ; alors, peu à peu, l'ancre céda. Elle montait, mais doucement, doucement, et chargée d'un poids considérable. Enfin nous aperçûmes une masse noire, et nous la tirâmes à mon bord :

C'était le cadavre d'une vieille femme qui avait une grosse pierre au cou.

# LA PEUR

*A J.-K. Huysmans*

On remonta sur le pont après dîner. Devant nous, la Méditerranée n'avait pas un frisson sur toute sa surface qu'une grande lune calme moirait. Le vaste bateau glissait, jetant sur le ciel, qui semblait ensemencé d'étoiles, un gros serpent de fumée noire ; et, derrière nous, l'eau toute blanche, agitée par le passage rapide du lourd bâtiment, battue par l'hélice, moussait, semblait se tordre, remuait tant de clartés qu'on eût dit de la lumière de lune bouillonnant.

Nous étions là, six ou huit, silencieux, admirant, l'œil tourné vers l'Afrique lointaine où nous allions. Le commandant, qui fumait un cigare au milieu de nous, reprit soudain la conversation du dîner.

« Oui, j'ai eu peur ce jour-là. Mon navire est resté six heures avec ce rocher dans le ventre, battu par la mer. Heureusement que nous avons été recueillis, vers le soir, par un charbonnier anglais qui nous aperçut. »

Alors un grand homme à figure brûlée, à l'aspect grave, un de ces hommes qu'on sent avoir traversé de longs pays inconnus, au milieu de dangers incessants, et dont l'œil tranquille semble garder, dans sa profondeur, quelque chose des paysages étranges qu'il a vus ; un de ces hommes qu'on devine trempés dans le courage, parla pour la première fois :

« Vous dites, Commandant, que vous avez eu peur ; je n'en crois rien. Vous vous trompez sur le mot et sur la sensation que vous avez éprouvée. Un homme énergique n'a jamais peur en face du danger pressant. Il est ému, agité, anxieux ; mais la peur, c'est autre chose. »

Le commandant reprit en riant :

« Fichtre ! je vous réponds bien que j'ai eu peur, moi. »

Alors l'homme au teint bronzé prononça d'une voix lente :

— Permettez-moi de m'expliquer ! La peur (et les hommes les plus hardis peuvent avoir peur), c'est quelque chose d'effroyable, une sensation atroce, comme une décomposition de l'âme, un spasme affreux de la pensée et du cœur, dont le souvenir seul donne des frissons d'angoisse. Mais cela n'a lieu, quand on est brave, ni devant une attaque, ni devant la mort inévitable, ni devant toutes les formes connues du péril : cela a lieu dans certaines circonstances anormales, sous certaines influences mystérieuses, en face de risques vagues. La vraie peur, c'est quelque chose comme une réminiscence des terreurs fantastiques d'autrefois. Un homme qui croit aux revenants, et qui s'imagine apercevoir un spectre dans la nuit, doit éprouver la peur en toute son épouvantable horreur.

Moi, j'ai deviné la peur en plein jour, il y a dix ans environ. Je l'ai ressentie, l'hiver dernier, par une nuit de décembre.

Et, pourtant, j'ai traversé bien des hasards, bien des aventures qui semblaient mortelles. Je me suis battu souvent. J'ai été laissé pour mort par des voleurs. J'ai été condamné, comme insurgé, à être pendu, en Amérique, et jeté à la mer du pont d'un bâtiment sur les côtes de Chine. Chaque fois je me suis cru perdu, j'en ai pris immédiatement mon parti, sans attendrissement et même sans regrets.

Mais la peur, ce n'est pas cela.

Je l'ai pressentie en Afrique. Et pourtant elle est fille du Nord ; le soleil la dissipe comme un brouillard. Remarquez bien ceci, Messieurs. Chez les Orientaux, la vie ne compte pour rien ; on est résigné tout de suite ; les nuits sont claires et vides de légendes, les âmes aussi vides des inquiétudes sombres qui hantent les cerveaux dans les pays froids. En Orient, on peut connaître la panique, on ignore la peur.

Eh bien, voici ce qui m'est arrivé sur cette terre d'Afrique :

Je traversais les grandes dunes au sud de Ouargla. C'est là un des plus étranges pays du monde. Vous connaissez le sable uni, le sable droit des interminables plages de l'Océan. Eh bien ! figurez-vous l'Océan lui-même devenu sable au milieu d'un ouragan ; imaginez une tempête silencieuse de vagues immobiles en poussière jaune. Elles sont hautes comme des montagnes, ces vagues inégales, différentes, soulevées tout à fait comme des flots déchaînés, mais plus grandes encore, et striées comme de la moire. Sur cette mer furieuse, muette et sans mouvement, le dévorant soleil du sud verse sa flamme implacable et directe. Il faut gravir ces lames de cendre d'or, redescendre, gravir encore, gravir sans cesse, sans repos et sans ombre. Les chevaux râlent, enfoncent jusqu'aux genoux, et glissent en dévalant l'autre versant des surprenantes collines.

Nous étions deux amis suivis de huit spahis et de quatre chameaux avec leurs chameliers. Nous ne parlions plus, accablés de chaleur, de fatigue, et desséchés de soif comme ce désert ardent. Soudain un de ces hommes poussa une sorte de cri ; tous s'arrêtèrent ; et nous demeurâmes immobiles, surpris par un inexplicable phénomène connu des voyageurs en ces contrées perdues.

Quelque part, près de nous, dans une direction indéterminée, un tambour battait, le mystérieux tambour des dunes ; il battait distinctement, tantôt plus vibrant, tantôt affaibli, arrêtant, puis reprenant son roulement fantastique.

Les Arabes, épouvantés, se regardaient ; et l'un dit, en sa langue : « La mort est sur nous. » Et voilà que tout à coup mon compagnon, mon ami, presque mon frère, tomba de cheval, la tête en avant, foudroyé par une insolation.

Et pendant deux heures, pendant que j'essayais en vain de le sauver, toujours ce tambour insaisissable m'emplissait l'oreille de son bruit monotone, intermittent et incompréhensible ; et je sentais se glisser dans mes os la peur, la vraie peur, la hideuse peur, en face de ce cadavre aimé, dans ce trou incendié par le soleil entre quatre monts de sable, tandis que l'écho inconnu nous jetait, à deux cents lieues de tout village français, le battement rapide du tambour.

Ce jour-là, je compris ce que c'était que d'avoir peur ; je l'ai su mieux encore une autre fois...

Le commandant interrompit le conteur :

« Pardon, Monsieur, mais ce tambour ? Qu'était-ce ? »

Le voyageur répondit :

— Je n'en sais rien. Personne ne sait. Les officiers, surpris souvent par ce bruit singulier, l'attribuent généralement à l'écho grossi, multiplié, démesurément enflé par les vallonnements des dunes, d'une grêle de grains de sable emportés dans le vent et heurtant une touffe d'herbes sèches ; car on a toujours remarqué que le phénomène se produit dans le voisinage de petites plantes brûlées par le soleil, et dures comme du parchemin.

Ce tambour ne serait donc qu'une sorte de mirage du son. Voilà tout. Mais je n'appris cela que plus tard.

J'arrive à ma seconde émotion.

C'était l'hiver dernier, dans une forêt du nord-est de la France. La nuit vint deux heures plus tôt, tant le ciel était sombre. J'avais pour guide un paysan qui marchait à mon côté, par un tout petit chemin, sous une voûte de sapins dont le vent déchaîné tirait des hurlements. Entre les cimes, je voyais courir des nuages en déroute, des nuages éperdus qui semblaient fuir devant une épouvante. Parfois, sous une immense rafale, toute la forêt s'inclinait dans le même sens avec un gémissement de souffrance ; et le froid m'envahissait, malgré mon pas rapide et mon lourd vêtement.

Nous devions souper et coucher chez un garde forestier dont la maison n'était plus éloignée de nous. J'allais là pour chasser.

Mon guide, parfois, levait les yeux et murmurait : « Triste temps ! » Puis il me parla des gens chez qui nous

 Voir *Au fil du texte*, p. IX.

arrivions. Le père avait tué un braconnier deux ans auparavant, et, depuis ce temps, il semblait sombre, comme hanté d'un souvenir. Ses deux fils, mariés, vivaient avec lui.

Les ténèbres étaient profondes. Je ne voyais rien devant moi, ni autour de moi, et toute la branchure des arbres entrechoqués emplissait la nuit d'une rumeur incessante. Enfin, j'aperçus une lumière, et bientôt mon compagnon heurtait une porte. Des cris aigus de femmes nous répondirent. Puis, une voix d'homme, une voix étranglée, demanda : « Qui va là ? » Mon guide se nomma. Nous entrâmes. Ce fut un inoubliable tableau.

Un vieux homme à cheveux blancs, à l'œil fou, le fusil chargé dans la main, nous attendait debout au milieu de la cuisine, tandis que deux grands gaillards, armés de haches, gardaient la porte. Je distinguai dans les coins sombres deux femmes à genoux, le visage caché contre le mur.

On s'expliqua. Le vieux remit son arme contre le mur et ordonna de préparer ma chambre ; puis, comme les femmes ne bougeaient point, il me dit brusquement :

« Voyez-vous, Monsieur, j'ai tué un homme, voilà deux ans, cette nuit. L'autre année, il est revenu m'appeler. Je l'attends encore ce soir. »

Puis il ajouta d'un ton qui me fit sourire :

« Aussi, nous ne sommes pas tranquilles. »

Je le rassurai comme je pus, heureux d'être venu justement ce soir-là, et d'assister au spectacle de cette terreur superstitieuse. Je racontai des histoires, et je parvins à calmer à peu près tout le monde.

Près du foyer, un vieux chien, presque aveugle et moustachu, un de ces chiens qui ressemblent à des gens qu'on connaît, dormait le nez dans ses pattes.

Au-dehors, la tempête acharnée battait la petite maison, et, par un étroit carreau, une sorte de judas placé près de la porte, je voyais soudain tout un fouillis d'arbres bousculés par le vent à la lueur de grands éclairs.

Malgré mes efforts, je sentais bien qu'une terreur profonde tenait ces gens, et chaque fois que je cessais de parler, toutes les oreilles écoutaient au loin. Las d'assister à ces craintes imbéciles, j'allais demander à me coucher, quand le vieux garde tout à coup fit un bond de sa chaise, saisit de nouveau son fusil, en bégayant d'une voix égarée : « Le voilà ! le voilà ! Je l'entends ! » Les deux femmes retombèrent à genoux dans leurs coins en se cachant le visage ; et les fils reprirent leurs haches. J'allais tenter encore de les apaiser, quand le chien endormi s'éveilla brusquement et, levant sa tête, tendant le cou, regardant vers le feu de son œil presque éteint, il poussa un de ces lugubres hurlements qui font tressaillir les voyageurs, le soir, dans la campagne. Tous les yeux se portèrent sur lui ; il restait maintenant immobile, dressé sur ses pattes comme hanté d'une vision, et il se remit à hurler vers quelque chose d'invisible, d'inconnu, d'affreux sans doute, car tout son poil se hérissait. Le garde, livide, cria : « Il le sent ! il le sent ! il était là quand je l'ai tué. » Et les deux femmes égarées se mirent, toutes les deux, à hurler avec le chien.

Malgré moi, un grand frisson me courut entre les épaules. Cette vision de l'animal dans ce lieu, à cette heure, au milieu de ces gens éperdus, était effrayante à voir.

Alors, pendant une heure, le chien hurla sans bouger ; il hurla comme dans l'angoisse d'un rêve ; et la peur, l'épouvantable peur entrait en moi ; la peur de quoi ? Le sais-je ? C'était la peur, voilà tout.

Nous restions immobiles, livides, dans l'attente d'un événement affreux, l'oreille tendue, le cœur battant, bouleversés au moindre bruit. Et le chien se mit à tourner autour de la pièce, en sentant les murs et gémissant toujours. Cette bête nous rendait fous ! Alors, le paysan qui m'avait amené se jeta sur elle, dans une sorte de paroxysme de terreur furieuse, et, ouvrant une porte donnant sur une petite cour, jeta l'animal dehors.

Il se tut aussitôt ; et nous restâmes plongés dans un silence plus terrifiant encore. Et soudain tous ensemble, nous eûmes une sorte de sursaut : un être glissait contre le mur du dehors vers la forêt ; puis il passa contre la porte, qu'il sembla tâter, d'une main hésitante ; puis on n'entendit plus rien pendant deux minutes qui firent de nous des insensés ; puis il revint, frôlant toujours la muraille ; et il gratta légèrement, comme ferait un enfant avec son ongle ; puis soudain une tête apparut contre la vitre du judas, une tête blanche avec des yeux lumineux comme ceux des fauves. Et un son sortit de sa bouche, un son indistinct, un murmure plaintif.

Alors un bruit formidable éclata dans la cuisine. Le vieux garde avait tiré. Et aussitôt les fils se précipitèrent, bouchèrent le judas en dressant la grande table qu'ils assujettirent avec le buffet.

Et je vous jure qu'au fracas du coup de fusil que je n'attendais point, j'eus une telle angoisse du cœur, de l'âme et du corps, que je me sentis défaillir, prêt à mourir de peur.

Nous restâmes là jusqu'à l'aurore, incapables de bouger, de dire un mot, crispés dans un affolement indicible.

On n'osa débarricader la sortie qu'en apercevant, par la fente d'un auvent, un mince rayon de jour.

Au pied du mur, contre la porte, le vieux chien gisait, la gueule brisée d'une balle.

Il était sorti de la cour en creusant un trou sous une palissade.

L'homme au visage brun se tut ; puis il ajouta :

« Cette nuit-là pourtant, je ne courus aucun danger ; mais j'aimerais mieux recommencer toutes les heures où j'ai affronté les plus terribles périls, que la seule minute du coup de fusil sur la tête barbue du judas. »

# LE LOUP

Voici ce que nous raconta le vieux marquis d'Arville à la fin du dîner de Saint-Hubert, chez le baron des Ravels.

On avait forcé un cerf dans le jour. Le marquis était le seul des convives qui n'eût point pris part à cette poursuite, car il ne chassait jamais.

Pendant toute la durée du grand repas, on n'avait guère parlé que de massacres d'animaux. Les femmes elles-mêmes s'intéressaient aux récits sanguinaires et souvent invraisemblables, et les orateurs mimaient les attaques et les combats d'hommes contre les bêtes, levaient les bras, contaient d'une voix tonnante.

M. d'Arville parlait bien, avec une certaine poésie un peu ronflante, mais pleine d'effet. Il avait dû répéter souvent cette histoire, car il la disait couramment, n'hésitant pas sur les mots choisis avec habileté pour faire image.

Messieurs, je n'ai jamais chassé, mon père non plus, mon grand-père non plus, et, non plus, mon arrière-grand-père. Ce dernier était fils d'un homme qui chassa plus que vous tous. Il mourut en 1764. Je vous dirai comment.

Il se nommait Jean, était marié, père de cet enfant qui fut mon trisaïeul, et il habitait avec son frère cadet, François d'Arville, notre château de Lorraine, en pleine forêt.

François d'Arville était resté garçon par amour de la chasse.

Ils chassaient tous deux d'un bout à l'autre de l'année, sans repos, sans arrêt, sans lassitude. Ils n'aimaient que cela, ne comprenaient pas autre chose, ne parlaient que de cela, ne vivaient que pour cela.

Ils avaient au cœur cette passion terrible, inexorable. Elle les brûlait, les ayant envahis tout entiers, ne laissant de place pour rien d'autre.

Ils avaient défendu qu'on les dérangeât jamais en chasse, pour aucune raison. Mon trisaïeul naquit pendant que son père suivait un renard, et Jean d'Arville n'interrompit point sa course, mais il jura : « Nom d'un nom, ce gredin-là aurait bien pu attendre après l'hallali ! »

Son frère François se montrait encore plus emporté que lui. Dès le lever, il allait voir les chiens, puis les chevaux, puis il tirait des oiseaux autour du château jusqu'au moment de partir pour forcer quelque grosse bête.

On les appelait dans le pays M. le marquis et M. le cadet, les nobles d'alors ne faisant point, comme la noblesse d'occasion de notre temps, qui veut établir dans les titres une hiérarchie descendante ; car le fils d'un marquis n'est pas plus comte, ni le fils d'un vicomte baron, que le fils d'un général n'est colonel de naissance. Mais la vanité mesquine du jour trouve profit à cet arrangement.

Je reviens à mes ancêtres.

Ils étaient, paraît-il, démesurément grands, osseux, poilus, violents et vigoureux. Le jeune, plus haut encore que l'aîné, avait une voix tellement forte que, suivant une légende dont il était fier, toutes les feuilles de la forêt s'agitaient quand il criait.

Et lorsqu'ils se mettaient en selle tous deux pour partir en chasse, ce devait être un spectacle superbe de voir ces deux géants enfourcher leurs grands chevaux.

Or, vers le milieu de l'hiver de cette année 1764, les froids furent excessifs et les loups devinrent féroces.

Ils attaquaient même les paysans attardés, rôdaient la nuit autour des maisons, hurlaient du coucher du soleil à son lever et dépeuplaient les étables.

Et bientôt une rumeur circula. On parlait d'un loup colossal, au pelage gris, presque blanc, qui avait mangé deux enfants, dévoré le bras d'une femme, étranglé tous les chiens de garde du pays et qui pénétrait sans peur dans les enclos pour venir flairer sous les portes. Tous les habitants affirmaient avoir senti son souffle qui faisait vaciller la flamme des lumières. Et bientôt une panique courut par toute la province. Personne n'osait plus sortir dès que tombait le soir. Les ténèbres semblaient hantées par l'image de cette bête...

Les frères d'Arville résolurent de la trouver et de la tuer, et ils convièrent à de grandes chasses tous les gentilshommes du pays.

Ce fut en vain. On avait beau battre les forêts, fouiller les buissons, on ne la rencontrait jamais. On tuait des loups, mais pas celui-là. Et, chaque nuit qui suivait la battue, l'animal, comme pour se venger, attaquait quelque voyageur ou dévorait quelque bétail, toujours loin du lieu où on l'avait cherché.

Une nuit enfin, il pénétra dans l'étable aux porcs du château d'Arville et mangea les deux plus beaux élèves.

Les deux frères furent enflammés de colère, considérant cette attaque comme une bravade du monstre, une injure directe, un défi. Ils prirent tous leurs forts limiers habitués à poursuivre les bêtes redoutables, et ils se mirent en chasse, le cœur soulevé de fureur.

Depuis l'aurore jusqu'à l'heure où le soleil empourpré descendit derrière les grands arbres nus, ils battirent les fourrés sans rien trouver.

Tous deux enfin, furieux et désolés, revenaient au pas de leurs chevaux par une allée bordée de broussailles, et s'étonnaient de leur science déjouée par ce loup, saisis soudain d'une sorte de crainte mystérieuse.

L'aîné disait :

« Cette bête-là n'est point ordinaire. On dirait qu'elle pense comme un homme. »

Le cadet répondit :

« On devrait peut-être faire bénir une balle par notre cousin l'évêque, ou prier quelque prêtre de prononcer les paroles qu'il faut. »

Puis ils se turent.

Jean reprit :

« Regarde le soleil s'il est rouge. Le grand loup va faire quelque malheur cette nuit. »

Il n'avait point fini de parler que son cheval se cabra ; celui de François se mit à ruer. Un large buisson couvert de feuilles mortes s'ouvrit devant eux, et une bête colossale, toute grise, surgit, qui détala à travers le bois.

Tous deux poussèrent une sorte de grognement de joie, et, se courbant sur l'encolure de leurs pesants chevaux, ils les jetèrent en avant d'une poussée de tout leur corps, les lançant d'une telle allure, les excitant, les entraînant, les affolant de la voix, du geste et de l'éperon, que les forts cavaliers semblaient porter les lourdes bêtes entre leurs cuisses et les enlever comme s'ils s'envolaient.

Ils allaient ainsi, ventre à terre, crevant les fourrés, coupant les ravins, grimpant les côtes, dévalant les gorges, et sonnant du cor à pleins poumons pour attirer leurs gens et leurs chiens.

Et voilà que soudain, dans cette course éperdue, mon aïeul heurta du front une branche énorme qui lui fendit le crâne ; et il tomba raide mort sur le sol, tandis que son cheval affolé s'emportait, disparaissait dans l'ombre enveloppant les bois.

Le cadet d'Arville s'arrêta net, sauta par terre, saisit dans ses bras son frère, et il vit que la cervelle coulait de la plaie avec le sang.

Alors il s'assit auprès du corps, posa sur ses genoux la tête défigurée et rouge, et il attendit en contemplant cette face immobile de l'aîné. Peu à peu une peur l'envahissait, une peur singulière qu'il n'avait jamais sentie encore, la peur de l'ombre, la peur de la solitude, la peur du bois désert et la peur aussi du loup fantastique qui venait de tuer son frère pour se venger d'eux.

Les ténèbres s'épaississaient, le froid aigu faisait craquer les arbres. François se leva, frissonnant, incapable de rester là plus longtemps, se sentant presque défaillir. On n'entendait plus rien, ni la voix des chiens ni le son des cors, tout était muet par l'invisible horizon ; et ce silence morne du soir glacé avait quelque chose d'effrayant et d'étrange.

Il saisit dans ses mains de colosse le grand corps de Jean, le dressa et le coucha sur la selle pour le reporter au château ; puis il se remit en marche doucement, l'esprit troublé comme s'il était gris, poursuivi par des images horribles et surprenantes.

Et, brusquement, dans le sentier qu'envahissait la nuit, une grande forme passa. C'était la bête. Une secousse d'épouvante agita le chasseur ; quelque chose de froid, comme une goutte d'eau, lui glissa le long des reins, et il fit, ainsi qu'un moine hanté du diable, un grand signe de croix, éperdu à ce retour brusque de l'effrayant rôdeur. Mais ses yeux retombèrent sur le corps inerte couché devant lui, et soudain, passant brusquement de la crainte à la colère, il frémit d'une rage désordonnée.

Alors il piqua son cheval et s'élança derrière le loup.

Il le suivait par les taillis, les ravines et les futaies, traversant des bois qu'il ne reconnaissait plus, l'œil fixé sur la tache blanche qui fuyait dans la nuit descendue sur la terre.

Son cheval aussi semblait animé d'une force et d'une ardeur inconnues. Il galopait le cou tendu, droit devant lui, heurtant aux arbres, aux rochers, la tête et les pieds du mort jeté en travers sur la selle. Les ronces arrachaient les cheveux ; le front, battant les troncs énormes, les éclaboussait de sang ; les éperons déchiraient des lambeaux d'écorce.

Et soudain, l'animal et le cavalier sortirent de la forêt et se ruèrent dans un vallon, comme la lune apparaissait au-dessus des monts. Ce vallon était pierreux, fermé par des roches énormes, sans issue possible ; et le loup acculé se retourna.

François alors poussa un hurlement de joie que les échos répétèrent comme un roulement de tonnerre, et il sauta de cheval, son coutelas à la main.

La bête hérissée, le dos rond, l'attendait ; ses yeux luisaient comme deux étoiles. Mais, avant de livrer bataille, le fort chasseur, empoignant son frère, l'assit sur une roche, et, soutenant avec des pierres sa tête qui n'était plus qu'une tache de sang, il lui cria dans les oreilles, comme s'il eût parlé à un sourd : « Regarde, Jean, regarde ça ! »

Puis il se jeta sur le monstre. Il se sentait fort à culbuter une montagne, à broyer des pierres dans ses mains. La bête le voulut mordre, cherchant à lui fouiller le ventre ;

mais il l'avait saisie par le cou, sans même se servir de son arme, et il l'étranglait doucement, écoutant s'arrêter les souffles de sa gorge et les battements de son cœur. Et il riait, jouissant éperdument, serrant de plus en plus sa formidable étreinte, criant, dans un délire de joie : « Regarde, Jean, regarde ! » Toute résistance cessa ; le corps du loup devint flasque. Il était mort.

Alors François, le prenant à pleins bras, l'emporta et le vint jeter aux pieds de l'aîné en répétant d'une voix attendrie : « Tiens, tiens, tiens, mon petit Jean, le voilà ! »

Puis il replaça sur sa selle les deux cadavres l'un sur l'autre : et il se remit en route.

Il rentra au château, riant et pleurant, comme Gargantua à la naissance de Pantagruel, poussant des cris de triomphe et trépignant d'allégresse en racontant la mort de l'animal, et gémissant et s'arrachant la barbe en disant celle de son frère.

Et souvent, plus tard, quand il reparlait de ce jour, il prononçait, les larmes aux yeux : « Si seulement ce pauvre Jean avait pu me voir étrangler l'autre, il serait mort content, j'en suis sûr ! »

La veuve de mon aïeul inspira à son fils orphelin l'horreur de la chasse, qui s'est transmise de père en fils jusqu'à moi.

Le marquis d'Arville se tut. Quelqu'un demanda :

« Cette histoire est une légende, n'est-ce pas ? »

Et le conteur répondit :

« Je vous jure qu'elle est vraie d'un bout à l'autre. »

Alors une femme déclara d'une petite voix douce :

« C'est égal, c'est beau d'avoir des passions pareilles. »

# CONTE DE NOËL

Le docteur Bonenfant cherchait dans sa mémoire, répétant à mi-voix : « Un souvenir de Noël ?... Un souvenir de Noël ?... »

Et tout à coup, il s'écria :

« Mais si, j'en ai un, et un bien étrange encore ; c'est une histoire fantastique. J'ai vu un miracle ! Oui, mesdames, un miracle, la nuit de Noël. »

Cela vous étonne de m'entendre parler ainsi, moi qui ne crois guère à rien. Et pourtant j'ai vu un miracle ! Je l'ai vu, dis-je, vu, de mes propres yeux vu, ce qui s'appelle vu.

En ai-je été fort surpris ? non pas ; car si je ne crois point à vos croyances, je crois à la foi, et je sais qu'elle transporte les montagnes. Je pourrais citer bien des exemples ; mais je vous indignerais et je m'exposerais aussi à amoindrir l'effet de mon histoire.

Je vous avouerai d'abord que si je n'ai pas été fort convaincu et converti par ce que j'ai vu, j'ai été du moins fort ému, et je vais tâcher de vous dire la chose naïvement, comme si j'avais une crédulité d'Auvergnat.

J'étais alors médecin de campagne, habitant le bourg de Rolleville, en pleine Normandie.

L'hiver, cette année-là, fut terrible. Dès la fin de novembre, les neiges arrivèrent après une semaine de gelées. On voyait de loin les gros nuages venir du nord ; et la blanche descente des flocons commença.

En une nuit, toute la plaine fut ensevelie.

Les fermes, isolées dans leurs cours carrées, derrière leurs rideaux de grands arbres poudrés de frimas, semblaient s'endormir sous l'accumulation de cette mousse épaisse et légère.

Aucun bruit ne traversait plus la campagne immobile. Seuls les corbeaux, par bandes, décrivaient de longs festons dans le ciel, cherchant leur vie inutilement, s'abattant tous ensemble sur les champs livides et piquant la neige de leurs grands becs.

On n'entendait rien que le glissement vague et continu de cette poussière tombant toujours.

Cela dura huit jours pleins, puis l'avalanche s'arrêta. La terre avait sur le dos un manteau épais de cinq pieds.

Et, pendant trois semaines ensuite, un ciel, clair comme un cristal bleu le jour, et, la nuit, tout semé d'étoiles qu'on aurait crues de givre, tant le vaste espace était rigoureux, s'étendit sur la nappe unie, dure et luisante des neiges.

La plaine, les haies, les ormes des clôtures, tout semblait mort, tué par le froid. Ni hommes ni bêtes ne sortaient plus : seules les cheminées des chaumières en chemise blanche révélaient la vie cachée, par les minces filets de fumée qui montaient droit dans l'air glacial.

De temps en temps on entendait craquer les arbres, comme si leurs membres de bois se fussent brisés sous l'écorce ; et, parfois, une grosse branche se détachait et tombait, l'invincible gelée pétrifiant la sève et cassant les fibres.

Les habitations semées çà et là par les champs semblaient éloignées de cent lieues les unes des autres. On vivait comme on pouvait. Seul, j'essayais d'aller voir mes clients les plus proches, m'exposant sans cesse à rester enseveli dans quelque creux.

Je m'aperçus bientôt qu'une terreur mystérieuse planait sur le pays. Un tel fléau, pensait-on, n'était point naturel. On prétendit qu'on entendait des voix la nuit, des sifflements aigus, des cris qui passaient.

Ces cris et ces sifflements venaient sans aucun doute

des oiseaux émigrants qui voyagent au crépuscule, et qui fuyaient en masse vers le sud. Mais allez donc faire entendre raison à des gens affolés. Une épouvante envahissait les esprits et on s'attendait à un événement extraordinaire.

La forge du père Vatinel était située au bout du hameau d'Epivent, sur la grande route, maintenant invisible et déserte. Or, comme les gens manquaient de pain, le forgeron résolut d'aller jusqu'au village. Il resta quelques heures à causer dans les six maisons qui forment le centre du pays, prit son pain et des nouvelles, et un peu de cette peur épandue sur la campagne.

Et il se remit en route avant la nuit.

Tout à coup, en longeant une haie, il crut voir un œuf sur la neige ; oui, un œuf déposé là, tout blanc comme le reste du monde. Il se pencha, c'était un œuf en effet. D'où venait-il ? Quelle poule avait pu sortir du poulailler et venir pondre en cet endroit ? Le forgeron s'étonna, ne comprit pas ; mais il ramassa l'œuf et le porta à sa femme :

« Tiens, la maîtresse, v'là un œuf que j'ai trouvé sur la route ! »

La femme hocha la tête :

« Un œuf sur la route ? Par ce temps-ci, t'es soûl, bien sûr ?

— Mais non, la maîtresse, même qu'il était au pied d'une haie, et encore chaud, pas gelé. Le v'là, j'me l'ai mis sur l'estomac pour qui n'refroidisse pas. Tu le mangeras pour ton dîner. »

L'œuf fut glissé dans la marmite où mijotait la soupe, et le forgeron se mit à raconter ce qu'on disait par la contrée.

La femme écoutait, toute pâle.

« Pour sûr que j'ai entendu des sifflets l'autre nuit, même qu'ils semblaient v'nir de la cheminée. »

On se mit à table, on mangea la soupe d'abord, puis, pendant que le mari étendait du beurre sur son pain, la femme prit l'œuf et l'examina d'un œil méfiant.

« Si y avait quéque chose dans c't'œuf ?

— Qué que tu veux qu'y ait ?

— J'sai ti, mé ?

— Allons, mange-le, et fais pas la bête. »

Elle ouvrit l'œuf. Il était comme tous les œufs, et bien frais.

Elle se mit à le manger en hésitant, le goûtant, le laissant, le reprenant. Le mari disait :

« Eh bien ! qué goût qu'il a, c't'œuf ? »

Elle ne répondit pas et elle acheva de l'avaler ; puis, soudain, elle planta sur son homme des yeux fixes, hagards, affolés ; leva les bras, les tordit et, convulsée de la tête aux pieds, roula par terre en poussant des cris horribles.

Toute la nuit elle se débattit en des spasmes épouvantables, secouée de tremblements effrayants, déformée par de hideuses convulsions. Le forgeron, impuissant à la tenir, fut obligé de la lier.

Et elle hurlait sans repos, d'une voix infatigable :

« J'l'ai dans l'corps ! J'l'ai dans l'corps ! »

Je fus appelé le lendemain. J'ordonnai tous les calmants connus sans obtenir le moindre résultat. Elle était folle.

Alors, avec une incroyable rapidité, malgré l'obstacle des hautes neiges, la nouvelle, une nouvelle étrange, courut de ferme en ferme : « La femme au forgeron qu'est possédée ! » Et on venait de partout, sans oser pénétrer dans la maison ; on écoutait de loin ses cris affreux poussés d'une voix si forte qu'on ne les aurait pas crus d'une créature humaine.

Le curé du village fut prévenu. C'était un vieux prêtre naïf. Il accourut en surplis comme pour administrer un mourant et il prononça, en étendant les mains, les formules d'exorcisme, pendant que quatre hommes maintenaient sur un lit la femme écumante et tordue.

Mais l'esprit ne fut point chassé.

Et la Noël arriva sans que le temps eût changé.

La veille au matin, le prêtre vint me trouver :

« J'ai envie, dit-il, de faire assister à l'office de cette nuit cette malheureuse. Peut-être Dieu fera-t-il un miracle en sa faveur, à l'heure même où il naquit d'une femme. »

Je répondis au curé :

« Je vous approuve absolument, monsieur l'abbé. Si elle a l'esprit frappé par la cérémonie (et rien n'est plus propice à l'émouvoir), elle peut être sauvée sans autre remède. »

Le vieux prêtre murmura :

« Vous n'êtes pas croyant, docteur, mais aidez-moi, n'est-ce pas ? Vous vous chargez de l'amener ? »

Et je lui promis mon aide.

Le soir vint, puis la nuit ; et la cloche de l'église se mit à sonner, jetant sa voix plaintive à travers l'espace morne, sur l'étendue blanche et glacée des neiges.

Des êtres noirs s'en venaient lentement, par groupes, dociles au cri d'airain du clocher. La pleine lune éclairait d'une lueur vive et blafarde tout l'horizon, rendait plus visible la pâle désolation des champs.

J'avais pris quatre hommes robustes et je me rendis à la forge.

La Possédée hurlait toujours, attachée à sa couche. On la vêtit proprement malgré sa résistance éperdue, et on l'emporta.

L'église était maintenant pleine de monde, illuminée et froide ; les chantres poussaient leurs notes monotones ; le serpent ronflait ; la petite sonnette de l'enfant de chœur tintait, réglant les mouvements des fidèles.

J'enfermai la femme et ses gardiens dans la cuisine du presbytère, et j'attendis le moment que je croyais favorable.

Je choisis l'instant qui suit la communion. Tous les paysans, hommes et femmes, avaient reçu leur Dieu pour fléchir sa rigueur. Un grand silence planait pendant que le prêtre achevait le mystère divin.

Sur mon ordre, la porte fut ouverte et mes quatre aides apportèrent la folle.

Dès qu'elle aperçut les lumières, la foule à genoux, le chœur en feu et le tabernacle doré, elle se débattit d'une telle vigueur, qu'elle faillit nous échapper, et elle poussa des clameurs si aiguës qu'un frisson d'épouvante passa dans l'église ; toutes les têtes se relevèrent ; des gens s'enfuirent.

Elle n'avait plus la forme d'une femme, crispée et tordue en nos mains, le visage contourné, les yeux fous.

On la traîna jusqu'aux marches du chœur et puis on la tint fortement accroupie à terre.

Le prêtre s'était levé ; il attendait. Dès qu'il la vit arrêtée, il prit en ses mains l'ostensoir ceint de rayons d'or, avec l'hostie blanche au milieu, et, s'avançant de quelques pas, il l'éleva de ses deux bras tendus au-dessus de sa tête, le présentant aux regards effarés de la Démoniaque.

Elle hurlait toujours, l'œil fixé, tendu sur cet objet rayonnant.

Et le prêtre demeurait tellement immobile qu'on l'aurait pris pour une statue.

Et cela dura longtemps, longtemps.

La femme semblait saisie de peur, fascinée ; elle contemplait fixement l'ostensoir, secouée encore de tremblements terribles, mais passagers, et criant toujours, mais d'une voix moins déchirante.

Et cela dura encore longtemps.

On eût dit qu'elle ne pouvait plus baisser les yeux, qu'ils étaient rivés sur l'hostie ; elle ne faisait plus que gémir ; et son corps raidi s'amollissait, s'affaissait.

Toute la foule était prosternée le front par terre.

La Possédée maintenant baissait rapidement les paupières, puis les relevait aussitôt, comme impuissante à supporter la vue de son Dieu. Elle s'était tue. Et puis soudain, je m'aperçus que ses yeux demeuraient clos. Elle dormait du sommeil des somnambules, hypnotisée, pardon ! vaincue par la contemplation persistante de l'ostensoir aux rayons d'or, terrassée par le Christ victorieux.

On l'emporta, inerte, pendant que le prêtre remontait vers l'autel.

L'assistance bouleversée entonna un *Te Deum* d'actions de grâces.

Et la femme du forgeron dormit quarante heures de suite, puis se réveilla sans aucun souvenir de la possession ni de la délivrance.

Voilà, mesdames, le miracle que j'ai vu.

Le docteur Bonenfant se tut, puis ajouta d'une voix contrariée : « Je n'ai pu refuser de l'attester par écrit. »

# AUPRÈS D'UN MORT

Il s'en allait mourant, comme meurent les poitrinaires. Je le voyais chaque jour s'asseoir, vers deux heures, sous les fenêtres de l'hôtel, en face de la mer tranquille, sur un banc de la promenade. Il restait quelque temps immobile dans la chaleur du soleil, contemplant d'un œil morne la Méditerranée. Parfois il jetait un regard sur la haute montagne aux sommets vaporeux, qui enferme Menton ; puis il croisait, d'un mouvement très lent, ses longues jambes si maigres qu'elles semblaient deux os, autour desquels flottait le drap du pantalon, et il ouvrait un livre, toujours le même.

Alors il ne remuait plus, il lisait, il lisait de l'œil et de la pensée ; tout son pauvre corps expirant semblait lire, toute son âme s'enfonçait, se perdait, disparaissait dans ce livre jusqu'à l'heure où l'air rafraîchi le faisait un peu tousser. Alors il se levait et rentrait.

C'était un grand Allemand à barbe blonde, qui déjeunait et dînait dans sa chambre, et ne parlait à personne.

Une vague curiosité m'attira vers lui. Je m'assis un jour à son côté, ayant pris aussi, pour me donner une contenance, un volume des poésies de Musset.

Et je me mis à parcourir *Rolla*.

Mon voisin me dit tout à coup, en bon français :

« Savez-vous l'allemand, Monsieur ?

— Nullement, Monsieur.

— Je le regrette. Puisque le hasard nous met côte à côte, je vous aurais prêté, je vous aurais fait voir une chose inestimable : ce livre que je tiens là.

— Qu'est-ce donc ?

— C'est un exemplaire de mon maître Schopenhauer, annoté de sa main. Toutes les marges, comme vous le voyez, sont couvertes de son écriture. »

Je pris le livre avec respect et je contemplai ces formes incompréhensibles pour moi, mais qui révélaient l'immortelle pensée du plus grand saccageur de rêves qui ait passé sur la terre.

Et les vers de Musset éclatèrent dans la mémoire :

*Dors-tu content, Voltaire, et ton hideux sourire*
*Voltige-t-il encor sur tes os décharnés ?*

Et je comparais involontairement le sarcasme enfantin, le sarcasme religieux de Voltaire à l'irrésistible ironie du philosophe allemand dont l'influence est désormais ineffaçable.

Qu'on proteste ou qu'on se fâche, qu'on s'indigne ou qu'on s'exalte, Schopenhauer a marqué l'humanité du sceau de son dédain et de son désenchantement.

Jouisseur désabusé, il a renversé les croyances, les espoirs, les poésies, les chimères, détruit les aspirations, ravagé la confiance des âmes, tué l'amour, abattu le culte idéal de la femme, crevé les illusions des cœurs, accompli la plus gigantesque besogne de sceptique qui ait jamais été faite. Il a tout traversé de sa moquerie, et tout vidé. Et aujourd'hui même, ceux qui l'exècrent semblent porter, malgré eux, en leurs esprits, des parcelles de sa pensée.

« Vous avez donc connu particulièrement Schopenhauer ? » dis-je à l'Allemand.

Il sourit tristement.

— Jusqu'à sa mort, Monsieur.

Et il me parla de lui, il me raconta l'impression presque surnaturelle que faisait cet être étrange à tous ceux qui l'approchaient.

Il me dit l'entrevue du vieux démolisseur avec un politicien français, républicain doctrinaire, qui voulut voir cet homme et le trouva dans une brasserie tumultueuse, assis au milieu de disciples, sec, ridé, riant d'un inoubliable rire, mordant et déchirant les idées et les croyances d'une seule parole, comme un chien d'un coup de dents déchire les tissus avec lesquels il joue.

Il me répéta le mot de ce Français, s'en allant effaré, épouvanté, et s'écriant :

« J'ai cru passer une heure avec le diable. »

Puis il ajouta :

« Il avait, en effet, Monsieur, un effrayant sourire qui nous fit peur, même après sa mort. C'est une anecdote presque inconnue que je peux vous conter si elle vous intéresse. »

Et il commença, d'une voix fatiguée, que les quintes de toux interrompaient par moments :

— Schopenhauer venait de mourir, et il fut décidé que nous le veillerions tour à tour, deux par deux, jusqu'au matin.

Il était couché dans une grande chambre très simple, vaste et sombre. Deux bougies brûlaient sur la table de nuit.

C'est à minuit que je pris la garde, avec un de nos camarades. Les deux amis que nous remplacions sortirent, et nous vînmes nous asseoir au pied du lit.

La figure n'était point changée. Elle riait. Ce pli que nous connaissions si bien se creusait au coin des lèvres, et il nous semblait qu'il allait ouvrir les yeux, remuer, parler. Sa pensée ou plutôt ses pensées nous enveloppaient ; nous nous sentions plus que jamais dans l'atmosphère de son génie, envahis, possédés par lui. Sa domination nous semblait même plus souveraine maintenant qu'il était mort. Un mystère se mêlait à la puissance de cet incomparable esprit.

Le corps de ces hommes-là disparaît, mais ils restent, eux ; et, dans la nuit qui suit l'arrêt de leur cœur, je vous assure, Monsieur, qu'ils sont effrayants.

Et, tout bas, nous parlions de lui, nous rappelant des paroles, des formules, ces surprenantes maximes qui semblent des lumières jetées, par quelques mots, dans les ténèbres de la Vie inconnue.

« Il me semble qu'il va parler », dit mon camarade. Et nous regardions, avec une inquiétude touchant à la peur, ce visage immobile et riant toujours.

Peu à peu nous nous sentions mal à l'aise, oppressés, défaillants. Je balbutiai :

« Je ne sais pas ce que j'ai, mais je t'assure que je suis malade. »

Et nous nous aperçûmes alors que le cadavre sentait mauvais.

Alors mon compagnon me proposa de passer dans la chambre voisine, en laissant la porte ouverte ; et j'acceptai.

Je pris une des bougies qui brûlaient sur la table de nuit et je laissai la seconde, et nous allâmes nous asseoir à l'autre bout de l'autre pièce, de façon à voir de notre place le lit et le mort, en pleine lumière.

Mais il nous obsédait toujours ; on eût dit que son être immatériel, dégagé, libre, tout-puissant et dominateur, rôdait autour de nous. Et parfois aussi l'odeur infâme du corps décomposé nous arrivait, nous pénétrait, écœurante et vague.

Tout à coup, un frisson nous passa dans les os : un bruit, un petit bruit était venu de la chambre du mort. Nos regards furent aussitôt sur lui, et nous vîmes, oui, Monsieur, nous vîmes parfaitement, l'un et l'autre, quelque chose de blanc courir sur le lit, tomber à terre sur le tapis, et disparaître sous un fauteuil.

Nous fûmes debout avant d'avoir eu le temps de penser à rien, fous d'une terreur stupide, prêts à fuir. Puis nous nous sommes regardés. Nous étions horriblement pâles. Nos cœurs battaient à soulever le drap de nos habits. Je parlai le premier.

« Tu as vu ?...

— Oui, j'ai vu.

— Est-ce qu'il n'est pas mort ?

— Mais puisqu'il entre en putréfaction ?

— Qu'allons-nous faire ? »

Mon compagnon prononça en hésitant :

« Il faut aller voir. »

Je pris notre bougie, et j'entrai le premier, fouillant de l'œil toute la grande pièce aux coins noirs. Rien ne remuait plus ; et je m'approchai du lit. Mais je demeurai saisi de stupeur et d'épouvante : Schopenhauer ne riait plus ! Il grimaçait d'une horrible façon, la bouche serrée, les joues creusées profondément. Je balbutiai :

« Il n'est pas mort ! »
Mais l'odeur épouvantable me montait au nez, me suffoquait. Et je ne remuais plus, le regardant fixement, effaré comme devant une apparition.
Alors mon compagnon, ayant pris l'autre bougie, se pencha. Puis il me toucha le bras sans dire un mot. Je suivis son regard, et j'aperçus à terre, sous le fauteuil à côté du lit, tout blanc sur le sombre tapis, ouvert comme pour mordre, le râtelier de Schopenhauer.
Le travail de la décomposition, desserrant les mâchoires, l'avait fait jaillir de la bouche.
« J'ai eu vraiment peur ce jour-là, Monsieur. »

Et, comme le soleil s'approchait de la mer étincelante, l'Allemand phtisique se leva, me salua, et regagna l'hôtel.

# APPARITION

On parlait de séquestration à propos d'un procès récent. C'était à la fin d'une soirée intime, rue de Grenelle, dans un ancien hôtel, et chacun avait son histoire, une histoire qu'il affirmait vraie.

Alors le vieux marquis de la Tour-Samuel, âgé de quatre-vingt-deux ans, se leva et vint s'appuyer à la cheminée. Il dit de sa voix un peu tremblante :

— Moi aussi, je sais une chose étrange, tellement étrange, qu'elle a été l'obsession de ma vie. Voici maintenant cinquante-six ans que cette aventure m'est arrivée, et il ne se passe pas un mois sans que je la revoie en rêve. Il m'est demeuré de ce jour-là une marque, une empreinte de peur, me comprenez-vous ? Oui, j'ai subi l'horrible épouvante, pendant dix minutes, d'une telle façon que depuis cette heure une sorte de terreur constante m'est restée dans l'âme. Les bruits inattendus me font tressaillir jusqu'au cœur ; les objets que je distingue mal dans l'ombre du soir me donnent une envie folle de me sauver. J'ai peur la nuit, enfin.

Oh ! je n'aurais pas avoué cela avant d'être arrivé à l'âge où je suis. Maintenant je peux tout dire. Il est permis de n'être pas brave devant les dangers imaginaires, quand on a quatre-vingt-deux ans. Devant les dangers véritables, je n'ai jamais reculé, Mesdames.

Cette histoire m'a tellement bouleversé l'esprit, a jeté en moi un trouble si profond, si mystérieux, si épouvantable, que je ne l'ai même jamais racontée. Je l'ai gardée dans le fond intime de moi, dans ce fond où l'on cache les secrets pénibles, les secrets honteux, toutes les inavouables faiblesses que nous avons dans notre existence.

Je vais vous dire l'aventure telle quelle, sans chercher à l'expliquer. Il est bien certain qu'elle est explicable, à moins que je n'aie eu mon heure de folie. Mais non, je n'ai pas été fou, et vous en donnerai la preuve. Imaginez ce que vous voudrez. Voici les faits tout simples.

C'était en 1827, au mois de juillet. Je me trouvais à Rouen en garnison.

Un jour, comme je me promenais sur le quai, je rencontrai un homme que je crus reconnaître sans me rappeler au juste qui c'était. Je fis, par instinct, un mouvement pour m'arrêter. L'étranger aperçut ce geste, me regarda et tomba dans mes bras.

C'était un ami de jeunesse que j'avais beaucoup aimé. Depuis cinq ans que je ne l'avais vu, il semblait vieilli d'un demi-siècle. Ses cheveux étaient tout blancs ; et il marchait courbé, comme épuisé. Il comprit ma surprise et me conta sa vie. Un malheur terrible l'avait brisé.

Devenu follement amoureux d'une jeune fille, il l'avait épousée dans une sorte d'extase de bonheur. Après un an d'une félicité surhumaine et d'une passion inapaisée, elle était morte subitement d'une maladie de cœur, tuée par l'amour lui-même, sans doute.

Il avait quitté son château le jour même de l'enterrement, et il était venu habiter son hôtel de Rouen. Il vivait là, solitaire et désespéré, rongé par la douleur, si misérable qu'il ne pensait qu'au suicide.

« Puisque je te retrouve ainsi, me dit-il, je te demanderai de me rendre un grand service, c'est d'aller chercher chez moi dans le secrétaire de ma chambre, de notre chambre, quelques papiers dont j'ai un urgent besoin. Je ne puis charger de ce soin un subalterne ou un homme d'affaires, car il me faut une impénétrable discrétion et un silence absolu. Quant à moi, pour rien au monde je ne rentrerai dans cette maison.

» Je te donnerai la clef de cette chambre que j'ai fermée

moi-même en partant, et la clef de mon secrétaire. Tu remettras en outre un mot de moi à mon jardinier qui t'ouvrira le château.

» Mais viens déjeuner avec moi demain, et nous causerons de cela. »

Je lui promis de lui rendre ce léger service. Ce n'était d'ailleurs qu'une promenade pour moi, son domaine se trouvant situé à cinq lieues de Rouen environ. J'en avais pour une heure à cheval.

A dix heures, le lendemain, j'étais chez lui. Nous déjeunâmes en tête à tête ; mais il ne prononça pas vingt paroles. Il me pria de l'excuser ; la pensée de la visite que j'allais faire dans cette chambre, où gisait son bonheur, le bouleversait, me disait-il. Il me parut en effet singulièrement agité, préoccupé, comme si un mystérieux combat se fût livré dans son âme.

Enfin il m'expliqua exactement ce que je devais faire. C'était bien simple. Il me fallait prendre deux paquets de lettres et une liasse de papiers enfermés dans le premier tiroir de droite du meuble dont j'avais la clef. Il ajouta :

« Je n'ai pas besoin de te prier de n'y point jeter les yeux. »

Je fus presque blessé de cette parole, et je le lui dis un peu vivement. Il balbutia :

« Pardonne-moi, je souffre trop. »

Et il se mit à pleurer.

Je le quittai vers une heure pour accomplir ma mission.

Il faisait un temps radieux, et j'allais au grand trot à travers les prairies, écoutant des chants d'alouettes et le bruit rythmé de mon sabre sur ma botte.

Puis j'entrai dans la forêt et je mis au pas mon cheval. Des branches d'arbres me caressaient le visage ; et parfois j'attrapais une feuille avec mes dents et je la mâchais avidement, dans une de ces joies de vivre qui vous emplissent, on ne sait pourquoi, d'un bonheur tumultueux et comme insaisissable, d'une sorte d'ivresse de force.

En approchant du château, je cherchai dans ma poche la lettre que j'avais pour le jardinier, et je m'aperçus avec étonnement qu'elle était cachetée. Je fus tellement surpris et irrité que je faillis revenir sans m'acquitter de ma commission. Puis je songeai que j'allais montrer là une susceptibilité de mauvais goût. Mon ami avait pu d'ailleurs fermer ce mot sans y prendre garde, dans le trouble où il était.

Le manoir semblait abandonné depuis vingt ans. La barrière, ouverte et pourrie, tenait debout on ne sait comment. L'herbe emplissait les allées ; on ne distinguait plus les plates-bandes du gazon.

Au bruit que je fis en tapant à coups de pied dans un volet, un vieil homme sortit d'une porte de côté et parut stupéfait de me voir. Je sautai à terre et je remis ma lettre. Il la lut, la relut, la retourna, me considéra en dessous, mit le papier dans sa poche et prononça :

« Eh bien ! qu'est-ce que vous désirez ? »

Je répondis brusquement :

« Vous devez le savoir, puisque vous avez reçu là-dedans les ordres de votre maître ; je veux entrer dans ce château. »

Il semblait atterré. Il déclara :

« Alors, vous allez dans... dans sa chambre ? »

Je commençai à m'impatienter.

« Parbleu ! Mais est-ce que vous auriez l'intention de m'interroger, par hasard ? »

Il balbutia :

« Non... Monsieur... mais c'est que... c'est qu'elle n'a pas été ouverte depuis... depuis la... mort. Si vous voulez m'attendre cinq minutes, je vais aller... aller voir si... »

Je l'interrompis avec colère :

« Ah ! çà voyons, vous fichez-vous de moi ? Vous n'y pouvez pas entrer, puisque voici la clef. »

Il ne savait plus que dire.

« Alors, Monsieur, je vais vous montrer la route.

— Montrez-moi l'escalier et laissez-moi seul. Je la trouverai bien sans vous.

— Mais... Monsieur... cependant... »

Cette fois, je m'emportai tout à fait :

« Maintenant, taisez-vous, n'est-ce pas ? ou vous aurez affaire à moi. »

Je l'écartai violemment et je pénétrai dans la maison.

Je traversai d'abord la cuisine, puis deux petites pièces que cet homme habitait avec sa femme. Je franchis ensuite un grand vestibule, je montai l'escalier et je reconnus la porte indiquée par mon ami.

Je l'ouvris sans peine et j'entrai.

L'appartement était tellement sombre que je n'y distinguai rien d'abord. Je m'arrêtai, saisi par cette odeur moisie et fade des pièces inhabitées et condamnées, des chambres mortes. Puis, peu à peu, mes yeux s'habituèrent à l'obscurité, et je vis assez nettement une grande pièce en désordre, avec un lit sans draps, mais gardant ses matelas et ses oreillers, dont l'un portait l'empreinte profonde d'un coude ou d'une tête comme si on venait de se poser dessus.

Les sièges semblaient en déroute. Je remarquai qu'une porte, celle d'une armoire sans doute, était demeurée entrouverte.

J'allai d'abord à la fenêtre pour donner du jour et je l'ouvris ; mais les ferrures du contrevent étaient tellement rouillées que je ne pus les faire céder.

J'essayai même de les casser avec mon sabre, sans y parvenir. Comme je m'irritais de ces efforts inutiles, et comme mes yeux s'étaient enfin parfaitement accoutumés à l'ombre, je renonçai à l'espoir d'y voir plus clair et j'allai au secrétaire.

Je m'assis dans un fauteuil, j'abattis la tablette, j'ouvris le tiroir indiqué. Il était plein jusqu'aux bords. Il ne me fallait que trois paquets, que je savais comment reconnaître, et je me mis à les chercher.

Je m'écarquillais les yeux à déchiffrer les suscriptions, quand je crus entendre ou plutôt sentir un frôlement derrière moi. Je n'y pris point garde, pensant qu'un courant d'air avait fait remuer quelque étoffe. Mais, au bout d'une minute, un autre mouvement, presque indistinct, me fit passer sur la peau un singulier petit frisson désagréable. C'était tellement bête d'être ému, même à peine, que je ne voulus pas me retourner, par pudeur pour moi-même. Je venais alors de découvrir la seconde des liasses qu'il me fallait ; et je trouvais justement la troisième, quand un grand et pénible soupir, poussé contre mon épaule, me fit faire un bond de fou à deux mètres de là. Dans mon élan je m'étais retourné, la main sur la poignée de mon sabre, et certes, si je ne l'avais pas senti à mon côté, je me serais enfui comme un lâche.

Une grande femme vêtue de blanc me regardait, debout derrière le fauteuil où j'étais assis une seconde plus tôt.

Une telle secousse me courut dans les membres que je faillis m'abattre à la renverse ! Oh ! personne ne peut comprendre, à moins de les avoir ressenties, ces épouvantables et stupides terreurs. L'âme se fond ; on ne sent plus son cœur ; le corps entier devient mou comme une éponge, on dirait que tout l'intérieur de nous s'écroule.

Je ne crois pas aux fantômes ; eh bien ! j'ai défailli sous la hideuse peur des morts, et j'ai souffert, oh ! souffert en quelques instants plus qu'en tout le reste de ma vie, dans l'angoisse irrésistible des épouvantes surnaturelles.

Si elle n'avait pas parlé, je serais mort peut-être ! Mais elle parla ; elle parla d'une voix douce et douloureuse qui faisait vibrer les nerfs. Je n'oserais pas dire que je redevins maître de moi et que je retrouvai ma raison. Non. J'étais éperdu à ne plus savoir ce que je faisais ; mais cette espèce de fierté intime que j'ai en moi, un peu d'orgueil de métier aussi, me faisaient garder, presque malgré moi, une contenance honorable. Je posais pour moi et pour elle sans doute, pour elle, quelle qu'elle fût, femme ou spectre. Je me suis rendu compte de tout cela plus tard, car je vous assure que, dans l'instant de l'apparition, je ne songeais à rien. J'avais peur.

Elle dit :

« Oh ! Monsieur, vous pouvez me rendre un grand service ! »

Je voulus répondre, mais il me fut impossible de prononcer un mot. Un bruit vague sortit de ma gorge.

Elle reprit :

« Voulez-vous ? Vous pouvez me sauver, me guérir. Je souffre affreusement. Je souffre, oh ! je souffre ! »

Et elle s'assit doucement dans mon fauteuil. Elle me regardait :

« Voulez-vous ? »

Je fis : « Oui ! » de la tête, ayant encore la voix paralysée.

Alors elle me tendit un peigne en écaille et elle murmura :

« Peignez-moi, oh ! peignez-moi ; cela me guérira ; il faut qu'on me peigne. Regardez ma tête... Comme je souffre ; et mes cheveux comme ils me font mal ! »

Ses cheveux dénoués, très longs, très noirs, me semblait-il, pendaient par-dessus le dossier du fauteuil et touchaient la terre.

Pourquoi ai-je fait ceci ? Pourquoi ai-je reçu en frissonnant ce peigne, et pourquoi ai-je pris dans mes mains ses longs cheveux qui me donnèrent à la peau une sensation de froid atroce comme si j'eusse manié des serpents ? Je n'en sais rien.

Cette sensation m'est restée dans les doigts et je tressaille en y songeant.

Je la peignai. Je maniai je ne sais comment cette chevelure de glace. Je la tordis, je la renouai et la dénouai ; je la tressai comme on tresse la crinière d'un cheval. Elle soupirait, penchait la tête, semblait heureuse.

Soudain elle me dit : « Merci ! » m'arracha le peigne des mains et s'enfuit par la porte que j'avais remarquée entrouverte.

Resté seul, j'eus, pendant quelques secondes, ce trouble effaré des réveils après les cauchemars. Puis je repris enfin mes sens ; je courus à la fenêtre et je brisai les contrevents d'une poussée furieuse.

Un flot de jour entra. Je m'élançai sur la porte par où cet être était parti. Je la trouvai fermée et inébranlable.

Alors une fièvre de fuite m'envahit, une panique, la vraie panique des batailles. Je saisis brusquement les trois paquets de lettres sur le secrétaire ouvert ; je traversai l'appartement en courant, je sautai les marches de l'escalier quatre par quatre, je me trouvai dehors et je ne sais par où, et, apercevant mon cheval à dix pas de moi, je l'enfourchai d'un bond et partis au galop.

Je ne m'arrêtai qu'à Rouen, et devant mon logis. Ayant jeté la bride à mon ordonnance, je me sauvai dans ma chambre où je m'enfermai pour réfléchir.

Alors, pendant une heure, je me demandai anxieusement si je n'avais pas été le jouet d'une hallucination. Certes, j'avais eu un de ces incompréhensibles ébranlements nerveux, un de ces affolements du cerveau qui enfantent les miracles, à qui le Surnaturel doit sa puissance.

Et j'allais croire à une vision, à une erreur de mes sens, quand je m'approchai de ma fenêtre. Mes yeux, par hasard, descendirent sur ma poitrine. Mon dolman était plein de longs cheveux de femme qui s'étaient enroulés aux boutons !

Je les saisis un à un et je les jetai dehors avec des tremblements dans les doigts.

Puis j'appelai mon ordonnance. Je me sentais trop ému, trop troublé, pour aller le jour même chez mon ami. Et puis je voulais mûrement réfléchir à ce que je devais lui dire.

Je lui fis porter ses lettres, dont il remit un reçu au soldat. Il s'informa beaucoup de moi. On lui dit que j'étais souffrant, que j'avais reçu un coup de soleil, je ne sais quoi. Il parut inquiet.

Je me rendis chez lui le lendemain, dès l'aube, résolu à lui dire la vérité. Il était sorti la veille au soir et pas rentré.

Je revins dans la journée, on ne l'avait pas revu. J'attendis une semaine. Il ne reparut pas. Alors je prévins la justice. On le fit rechercher partout, sans découvrir une trace de son passage ou de sa retraite.

Une visite minutieuse fut faite au château abandonné. On n'y découvrit rien de suspect.

Aucun indice ne révéla qu'une femme y eût été cachée.

L'enquête n'aboutissant à rien, les recherches furent interrompues.

Et, depuis cinquante-six ans, je n'ai rien appris. Je ne sais rien de plus.

# LUI ?

*A Pierre Decourcelle*

Mon cher ami, tu n'y comprends rien ? et je le conçois. Tu me crois devenu fou ? Je le suis peut-être un peu, mais non pas pour les raisons que tu supposes.

Oui. Je me marie. Voilà.

Et pourtant mes idées et mes convictions n'ont pas changé. Je considère l'accouplement légal comme une bêtise. Je suis certain que huit maris sur dix sont cocus. Et ils ne méritent pas moins pour avoir eu l'imbécillité d'enchaîner leur vie, de renoncer à l'amour libre, la seule chose gaie et bonne au monde, de couper l'aile à la fantaisie qui nous pousse sans cesse à toutes les femmes, etc., etc. Plus que jamais, je me sens incapable d'aimer une femme, parce que j'aimerai toujours trop toutes les autres. Je voudrais avoir mille bras, mille lèvres et mille... tempéraments pour pouvoir étreindre en même temps une armée de ces êtres charmants et sans importance.

Et cependant je me marie.

J'ajoute que je ne connais guère ma femme de demain. Je l'ai vue seulement quatre ou cinq fois. Je sais qu'elle ne me déplaît point ; cela me suffit pour ce que j'en veux faire. Elle est petite, blonde et grasse. Après-demain, je désirerai ardemment une femme grande, brune et mince.

Elle n'est pas riche. Elle appartient à une famille

moyenne. C'est une jeune fille comme on en trouve à la grosse, bonnes à marier, sans qualités et sans défauts apparents, dans la bourgeoisie ordinaire. On dit d'elle : « M^lle^ Lajolle est bien gentille. » On dira demain : « Elle est fort gentille, M^me^ Raymon. » Elle appartient enfin à la légion des jeunes filles honnêtes « dont on est heureux de faire sa femme » jusqu'au jour où on découvre qu'on préfère justement toutes les autres femmes à celle qu'on a choisie.

Alors pourquoi me marier, diras-tu ?

J'ose à peine t'avouer l'étrange et invraisemblable raison qui me pousse à cet acte insensé.

Je me marie pour n'être pas seul !

Je ne sais comment dire cela, comment me faire comprendre. Tu auras pitié de moi, et tu me mépriseras, tant mon état d'esprit est misérable.

Je ne veux plus être seul, la nuit. Je veux sentir un être près de moi, contre moi, un être qui peut parler, dire quelque chose, n'importe quoi.

Je veux pouvoir briser son sommeil ; lui poser une question quelconque brusquement, une question stupide pour entendre une voix, pour sentir habitée ma demeure, pour sentir une âme en éveil, un raisonnement en travail, pour voir, allumant brusquement ma bougie, une figure humaine à mon côté... parce que... parce que... (je n'ose pas avouer cette honte)... parce que j'ai peur, tout seul.

Oh ! tu ne me comprends pas encore.

Je n'ai pas peur d'un danger. Un homme entrerait, je le tuerais sans frissonner. Je n'ai pas peur des revenants ; je ne crois pas au surnaturel. Je n'ai pas peur des morts ; je crois à l'anéantissement définitif de chaque être qui disparaît.

Alors !... oui. Alors !... Eh bien ! j'ai peur de moi ! j'ai peur de la peur ; peur des spasmes de mon esprit qui s'affole, peur de cette horrible sensation de la terreur incompréhensible.

Ris si tu veux. Cela est affreux, inguérissable. J'ai peur des murs, des meubles, des objets familiers qui s'animent, pour moi, d'une sorte de vie animale. J'ai peur surtout du trouble horrible de ma pensée, de ma raison qui m'échappe brouillée, dispersée par une mystérieuse et invisible angoisse.

Je sens d'abord une vague inquiétude qui me passe dans l'âme et me fait courir un frisson sur la peau. Je regarde autour de moi. Rien ! Et je voudrais quelque chose ! Quoi ? Quelque chose de compréhensible. Puisque j'ai peur uniquement parce que je ne comprends pas ma peur.

Je parle ! j'ai peur de ma voix. Je marche ! j'ai peur de l'inconnu de derrière la porte, de derrière le rideau, de dans l'armoire, de sous le lit. Et pourtant je sais qu'il n'y a rien nulle part.

Je me retourne brusquement parce que j'ai peur de ce qui est derrière moi, bien qu'il n'y ait rien et que je le sache.

Je m'agite, je sens mon effarement grandir ; et je me cache sous mes draps ; et blotti, roulé comme une boule, je ferme les yeux désespérément, et je demeure ainsi pendant un temps infini avec cette pensée que ma bougie demeure allumée sur ma table de nuit et qu'il faudrait pourtant l'éteindre. Et je n'ose pas.

N'est-ce pas affreux, d'être ainsi ?

Autrefois je n'éprouvais rien de cela. Je rentrais tranquillement. J'allais et je venais en mon logis sans que rien troublât la sérénité de mon âme. Si l'on m'avait dit quelle maladie de peur invraisemblable, stupide et terrible, devait me saisir un jour, j'aurais bien ri ; j'ouvrais les portes dans l'ombre avec assurance ; je me couchais lentement, sans pousser les verrous, et je ne me relevais jamais au milieu des nuits pour m'assurer que toutes les issues de ma chambre étaient fortement closes.

Cela a commencé l'an dernier d'une singulière façon.

C'était en automne, par un soir humide. Quand ma bonne fut partie, après mon dîner, je me demandai ce que j'allais faire. Je marchai quelque temps à travers ma chambre. Je me sentais las, accablé sans raison, incapable de travailler, sans force même pour lire. Une pluie fine mouillait les vitres ; j'étais triste, tout pénétré par une de ces tristesses sans causes qui vous donnent envie de pleurer, qui vous font désirer de parler à n'importe qui pour secouer la lourdeur de notre pensée.

Je me sentais seul. Mon logis me paraissait vide comme

comme il n'avait jamais été. Une solitude infinie et navrante m'entourait. Que faire ? Je m'assis. Alors une impatience nerveuse me courut dans les jambes. Je me relevai, et je me remis à marcher. J'avais peut-être aussi un peu de fièvre, car mes mains, que je tenais rejointes derrière mon dos, comme on fait souvent quand on se promène avec lenteur, se brûlaient l'une à l'autre, et je le remarquai. Puis, soudain, un frisson de froid me courut dans le dos. Je pensai que l'humidité du dehors entrait chez moi, et l'idée de faire du feu me vint. J'en allumai ; c'était la première fois de l'année. Et je m'assis de nouveau en regardant la flamme. Mais bientôt l'impossibilité de rester en place me fit encore me relever, et je sentis qu'il fallait m'en aller, me secouer, trouver un ami.

Je sortis. J'allai chez trois camarades que je ne rencontrai pas ; puis, je gagnai le boulevard, décidé à découvrir une personne de connaissance.

Il faisait triste partout. Les trottoirs trempés luisaient. Une tiédeur d'eau, une de ces tiédeurs qui vous glacent par frissons brusques, une tiédeur pesante de pluie impalpable accablait la rue, semblait lasser et obscurcir la flamme du gaz.

J'allais d'un pas mou, me répétant : « Je ne trouverai personne avec qui causer. »

J'inspectai plusieurs fois les cafés, depuis la Madeleine jusqu'au faubourg Poissonnière. Des gens tristes, assis devant des tables, semblaient n'avoir pas même la force de finir leurs consommations.

J'errai longtemps ainsi, et vers minuit, je me mis en route pour rentrer chez moi. J'étais fort calme, mais fort las. Mon concierge, qui se couche avant onze heures, m'ouvrit tout de suite, contrairement à son habitude ; et je pensai : « Tiens, un autre locataire vient sans doute de remonter. »

Quand je sors de chez moi, je donne toujours à ma porte deux tours de clef. Je la trouvai simplement tirée, et cela me frappa. Je supposai qu'on m'avait monté des lettres dans la soirée.

J'entrai. Mon feu brûlait encore et éclairait même un peu l'appartement. Je pris une bougie pour aller l'allumer au foyer, lorsque en jetant les yeux devant moi, j'aperçus quelqu'un assis dans mon fauteuil, et qui se chauffait les pieds en me tournant le dos.

Je n'eus pas peur, oh ! non, pas le moins du monde. Une supposition très vraisemblable me traversa l'esprit ; celle qu'un de mes amis était venu pour me voir. La concierge, prévenue par moi à ma sortie, avait dit que j'allais rentrer, avait prêté sa clef. Et toutes les circonstances de mon retour, en une seconde, me revinrent à la pensée : le cordon tiré tout de suite, ma porte seulement poussée.

Mon ami, dont je ne voyais que les cheveux, s'était endormi devant mon feu en m'attendant, et je m'avançai pour le réveiller. Je le voyais parfaitement, un de ses bras pendant à droite ; ses pieds étaient croisés l'un sur l'autre ; sa tête, penchée un peu sur le côté gauche du fauteuil, indiquait bien le sommeil. Je me demandais : « Qui est-ce ? » On y voyait peu d'ailleurs dans la pièce. J'avançai la main pour lui toucher l'épaule !...

Je rencontrai le bois du siège ! Il n'y avait plus personne. Le fauteuil était vide !

Quel sursaut, miséricorde !

Je reculai d'abord comme si un danger terrible eût apparu devant moi.

Puis je me retournai, sentant quelqu'un derrière mon dos ; puis, aussitôt, un impérieux besoin de revoir le fauteuil me fit pivoter encore une fois. Et je demeurai debout, haletant d'épouvante, tellement éperdu que je n'avais plus une pensée, prêt à tomber.

Mais je suis un homme de sang-froid, et tout de suite la raison me revint. Je songeai : « Je viens d'avoir une hallucination, voilà tout. » Et je réfléchis immédiatement sur ce phénomène. La pensée va vite dans ces moments-là.

J'avais une hallucination — c'était là un fait incontestable. Or, mon esprit était demeuré tout le temps lucide, fonctionnant régulièrement et logiquement. Il n'y avait donc aucun trouble du côté du cerveau. Les yeux seuls s'étaient trompés, avaient trompé ma pensée. Les yeux avaient eu une vision, une de ces visions qui font croire aux miracles les gens naïfs. C'était là un accident nerveux de l'appareil optique, rien de plus, un peu de congestion peut-être.

Et j'allumai ma bougie. Je m'aperçus, en me baissant vers le feu, que je tremblais, et je me relevai d'une secousse, comme si on m'eût touché par-derrière.

Je n'étais point tranquille, assurément.

Je fis quelques pas ; je parlai haut. Je chantai à mi-voix quelques refrains.

Puis je fermai la porte de ma chambre à double tour, et je me sentis un peu rassuré. Personne ne pouvait entrer, au moins.

Je m'assis encore et je réfléchis longtemps à mon aventure ; puis je me couchai, et je soufflai ma lumière.

Pendant quelques minutes, tout alla bien. Je restais sur le dos, assez paisiblement. Puis le besoin me vint de regarder dans ma chambre ; et je me mis sur le côté.

Mon feu n'avait plus que deux ou trois tisons rouges qui éclairaient juste les pieds du fauteuil ; et je crus revoir l'homme assis dessus.

J'enflammai une allumette d'un mouvement rapide. Je m'étais trompé, je ne voyais plus rien.

Je me levai, cependant, et j'allai cacher le fauteuil derrière mon lit.

Puis je refis l'obscurité et je tâchai de m'endormir. Je n'avais pas perdu connaissance depuis plus de cinq minutes, quand j'aperçus, en songe, et nettement comme dans la réalité, toute la scène de la soirée. Je me réveillai éperdument, et, ayant éclairé mon logis, je demeurai assis dans mon lit, sans oser même essayer de redormir.

Deux fois cependant le sommeil m'envahit, malgré moi, pendant quelques secondes. Deux fois je revis la chose. Je me croyais devenu fou.

Quand le jour parut, je me sentis guéri et je sommeillai paisiblement jusqu'à midi.

C'était fini, bien fini. J'avais eu la fièvre, le cauchemar, que sais-je ? J'avais été malade, enfin. Je me trouvai néanmoins fort bête.

Je fus très gai ce jour-là. Je dînai au cabaret ; j'allai voir le spectacle, puis je me mis en chemin pour rentrer. Mais voilà qu'en approchant de ma maison, une inquiétude étrange me saisit. J'avais peur de le revoir, lui. Non pas peur de lui, non pas peur de sa présence, à laquelle je ne croyais point, mais j'avais peur d'un trouble nouveau de mes yeux, peur de l'hallucination, peur de l'épouvante qui me saisirait.

Pendant plus d'une heure, j'errai de long en large, sur le trottoir ; puis je me trouvai trop imbécile à la fin et j'entrai. Je haletais tellement que je ne pouvais plus monter mon escalier. Je restai encore plus de dix minutes devant mon logement sur le palier, puis, brusquement, j'eus un élan de courage, un roidissement de volonté. J'enfonçai ma clef ; je me précipitai en avant, une bougie à la main, je poussai d'un coup de pied la porte entrebâillée de ma chambre, et je jetai un regard effaré vers la cheminée. Je ne vis rien. « Ah !... »

Quel soulagement ! Quelle joie ! Quelle délivrance ! J'allais et je venais d'un air gaillard. Mais je ne me sentais pas rassuré ; je me retournais par sursauts ; l'ombre des coins m'inquiétait.

Je dormis mal, réveillé sans cesse par des bruits imaginaires. Mais je ne le vis pas. C'était fini !

Depuis ce jour-là j'ai peur tout seul, la nuit. Je la sens là, près de moi, autour de moi, la vision. Elle ne m'est point apparue de nouveau. Oh non ! Et qu'importe, d'ailleurs, puisque je n'y crois pas, puisque je sais que ce n'est rien !

Elle me gêne cependant, parce que j'y pense sans cesse. — Une main pendait du côté droit, sa tête était penchée du côté gauche comme celle d'un homme qui dort... Allons, assez, nom de Dieu ! je n'y veux plus songer !

Qu'est-ce que cette obsession, pourtant ? Pourquoi cette persistance ? ses pieds étaient tout près du feu !

Il me hante, c'est fou, mais c'est ainsi. Qui, Il ? Je sais bien qu'il n'existe pas, que ce n'est rien ! Il n'existe que dans mon appréhension, que dans ma crainte, que dans mon angoisse ! Allons, assez !...

Oui, mais j'ai beau me raisonner, me roidir, je ne peux plus rester seul chez moi, parce qu'il y est. Je ne le verrai plus, je le sais, il ne se montrera plus, c'est fini cela. Mais il y est tout de même, dans ma pensée. Il demeure invisible, cela n'empêche qu'il y soit. Il est derrière les portes, dans l'armoire fermée, sous le lit, dans tous les coins obscurs, dans toutes les ombres. Si je tourne la porte, si j'ouvre l'armoire, si je baisse ma lumière sous le lit, si j'éclaire les coins, les ombres, il n'y est plus ; mais alors je le sens derrière moi. Je me retourne, certain cependant que je ne le verrai pas, que je ne le verrai plus. Il n'en est pas moins derrière moi, encore.

C'est stupide, mais c'est atroce. Que veux-tu ? Je n'y peux rien.

Mais si nous étions deux chez moi, je sens, oui, je sens assurément, qu'il n'y serait plus ! Car il est là parce que je suis seul, uniquement parce que je suis seul !

# LA MAIN

On faisait cercle autour de M. Bermutier, juge d'instruction, qui donnait son avis sur l'affaire mystérieuse de Saint-Cloud. Depuis un mois, cet inexplicable crime affolait Paris. Personne n'y comprenait rien.

M. Bermutier, debout, le dos à la cheminée, parlait, assemblait les preuves, discutait les diverses opinions, mais ne concluait pas.

Plusieurs femmes s'étaient levées pour s'approcher et demeuraient debout, l'œil fixé sur la bouche rasée du magistrat d'où sortaient les paroles graves. Elles frissonnaient, vibraient, crispées par leur peur curieuse, par l'avide et insatiable besoin d'épouvante qui hante leur âme, les torture comme une faim.

Une d'elles, plus pâle que les autres, prononça pendant un silence :

« C'est affreux. Cela touche au surnaturel. On ne saura jamais rien. »

Le magistrat se tourna vers elle :

« Oui, Madame, il est probable qu'on ne saura jamais rien. Quant au mot surnaturel que vous venez d'employer, il n'a rien à faire ici. Nous sommes en présence d'un crime fort habilement conçu, fort habilement exécuté, si bien enveloppé de mystère que nous ne pouvons le dégager des circonstances impénétrables qui l'entourent. Mais j'ai eu, moi, autrefois, à suivre une affaire où vraiment semblait se mêler quelque chose de fantastique. Il a fallu l'abandonner d'ailleurs, faute de moyens de l'éclaircir. »

Plusieurs femmes prononcèrent en même temps, si vite que leurs voix n'en firent qu'une :

« Oh ! dites-nous cela. »

M. Bermutier sourit gravement, comme doit sourire un juge d'instruction. Il reprit :

« N'allez pas croire, au moins, que j'aie pu, même un instant, supposer en cette aventure quelque chose de surhumain. Je ne crois qu'aux causes normales. Mais si, au lieu d'employer le mot « surnaturel » pour exprimer ce que nous ne connaissons pas, nous nous servions simplement du mot « inexplicable », cela vaudrait beaucoup mieux. En tout cas, dans l'affaire que je vais vous dire, ce sont surtout les circonstances environnantes, les circonstances préparatoires qui m'ont ému. Enfin, voici les faits :

J'étais alors juge d'instruction à Ajaccio, une petite ville blanche, couchée au bord d'un admirable golfe qu'entourent partout de hautes montagnes.

Ce que j'avais surtout à poursuivre, là-bas, c'étaient les affaires de vendetta. Il y en a de superbes, de dramatiques au possible, de féroces, d'héroïques. Nous retrouvons là les plus beaux sujets de vengeance qu'on puisse rêver, les haines séculaires, apaisées un moment, jamais éteintes, les ruses abominables, les assassinats devenant des massacres et presque des actions glorieuses. Depuis deux ans, je n'entendais parler que du prix du sang, que de ce terrible préjugé corse qui force à venger toute injure sur la personne qui l'a faite, sur ses descendants et ses proches. J'avais vu égorger des vieillards, des enfants, des cousins, j'avais la tête pleine de ces histoires.

Or, j'appris un jour qu'un Anglais venait de louer pour plusieurs années une petite villa au fond du golfe. Il avait amené avec lui un domestique français, pris à Marseille en passant.

Bientôt tout le monde s'occupa de ce personnage singulier, qui vivait seul dans sa demeure, ne sortant que pour chasser et pour pêcher. Il ne parlait à personne, ne venait jamais à la ville, et, chaque matin, s'exerçait pendant une heure ou deux, à tirer au pistolet et à la carabine.

Des légendes se firent autour de lui. On prétendit que c'était un haut personnage fuyant sa patrie pour des raisons politiques ; puis on affirma qu'il se cachait après avoir commis un crime épouvantable. On citait même des circonstances particulièrement horribles.

Je voulus, en ma qualité de juge d'instruction, prendre quelques renseignements sur cet homme ; mais il me fut impossible de rien apprendre. Il se faisait appeler sir John Rowell.

Je me contentai donc de le surveiller de près ; mais on ne me signalait, en réalité, rien de suspect à son égard.

Cependant, comme les rumeurs sur son compte continuaient, grossissaient, devenaient générales, je résolus d'essayer de voir moi-même cet étranger, et je me mis à chasser régulièrement dans les environs de sa propriété.

J'attendis longtemps une occasion. Elle se présenta enfin sous la forme d'une perdrix que je tirai et que je tuai devant le nez de l'Anglais. Mon chien me la rapporta ; mais, prenant aussitôt le gibier, j'allai m'excuser de mon inconvenance et prier sir John Rowell d'accepter l'oiseau mort.

C'était un grand homme à cheveux rouges, à barbe rouge, très haut, très large, une sorte d'hercule placide et poli. Il n'avait rien de la raideur dite britannique et il me remercia vivement de ma délicatesse en un français accentué d'outre-Manche. Au bout d'un mois, nous avions causé ensemble cinq ou six fois.

Un soir enfin, comme je passais devant sa porte, je l'aperçus qui fumait sa pipe, à cheval sur une chaise, dans son jardin. Je le saluai, et il m'invita à entrer pour boire un verre de bière. Je ne me le fis pas répéter.

Il me reçut avec toute la méticuleuse courtoisie anglaise, parla avec éloge de la France, de la Corse, déclara qu'il aimait beaucoup *cette* pays, et *cette* rivage.

Alors je lui posai, avec de grandes précautions et sous la forme d'un intérêt très vif, quelques questions sur sa vie, sur ses projets. Il répondit sans embarras, me raconta qu'il avait beaucoup voyagé, en Afrique, dans les Indes, en Amérique. Il ajouta en riant :

« J'avé eu bôcoup d'aventures, oh ! yes. »

Puis je me remis à parler chasse, et il me donna des

détails les plus curieux sur la chasse à l'hippopotame, au tigre, à l'éléphant et même la chasse au gorille.

Je dis :

« Tous ces animaux sont redoutables. »

Il sourit :

« Oh ! nô, le plus mauvais c'été l'homme. »

Il se mit à rire tout à fait, d'un bon rire de gros Anglais content :

« J'avé beaucoup chassé l'homme aussi. »

Puis il parla d'armes, et il m'offrit d'entrer chez lui pour me montrer des fusils de divers systèmes.

Son salon était tendu de noir, de soie noire brodée d'or. De grandes fleurs jaunes couraient sur l'étoffe sombre, brillaient comme du feu.

Il annonça :

« C'été une drap japonaise. »

Mais, au milieu du plus large panneau, une chose étrange me tira l'œil. Sur un carré de velours rouge, un objet noir se détachait. Je m'approchai : c'était une main, une main d'homme. Non pas une main de squelette, blanche et propre, mais une main noire desséchée, avec les ongles jaunes, les muscles à nu et des traces de sang ancien, de sang pareil à une crasse, sur les os coupés net, comme d'un coup de hache, vers le milieu de l'avant-bras.

Autour du poignet une énorme chaîne de fer, rivée, soudée à ce membre malpropre, l'attachait au mur par un anneau assez fort pour tenir un éléphant en laisse.

Je demandai :

« Qu'est-ce que cela ? »

L'Anglais répondit tranquillement :

« C'été ma meilleur ennemi. Il vené d'Amérique. Il avait été fendu avec le sabre et arraché la peau avec un caillou coupante, et séché dans le soleil pendant huit jours. Aoh, très bonne pour moi, cette. »

Je touchai ce débris humain qui avait dû appartenir à un colosse. Les doigts, démesurément longs, étaient attachés par des tendons énormes que retenaient des lanières de peau par places. Cette main était affreuse à voir, écorchée ainsi, elle faisait penser naturellement à quelque vengeance de sauvage.

Je dis :

« Cet homme devait être très fort. »
L'Anglais prononça avec douceur :
« Aoh yes ; mais je été plus fort que lui. J'avé mis cette chaîne pour le tenir. »
Je crus qu'il plaisantait. Je dis :
« Cette chaîne maintenant est bien inutile, la main ne se sauvera pas. »
Sir John Rowel reprit gravement :
« Elle voulé toujours s'en aller. Cette chaîne été nécessaire. »
D'un coup d'œil rapide, j'interrogeai son visage, me demandant :
« Est-ce un fou, ou un mauvais plaisant ? »
Mais la figure demeurait impénétrable, tranquille et bienveillante. Je parlai d'autre chose et j'admirai les fusils.
Je remarquai cependant que trois revolvers chargés étaient posés sur les meubles, comme si cet homme eût vécu dans la crainte constante d'une attaque.
Je revins plusieurs fois chez lui. Puis je n'y allai plus. On s'était accoutumé à sa présence ; il était devenu indifférent à tous.

Une année entière s'écoula. Or un matin, vers la fin de novembre, mon domestique me réveilla en m'annonçant que sir John Rowel avait été assassiné dans la nuit.
Une demi-heure plus tard, je pénétrais dans la maison de l'Anglais avec le commissaire central et le capitaine de gendarmerie. Le valet, éperdu et désespéré, pleurait devant la porte. Je soupçonnai d'abord cet homme, mais il était innocent.
On ne put jamais trouver le coupable.
En entrant dans le salon de sir John, j'aperçus du premier coup d'œil le cadavre sur le dos, au milieu de la pièce.
Le gilet était déchiré, une manche arrachée pendait, tout annonçait qu'une lutte terrible avait eu lieu.
L'Anglais était mort étranglé ! Sa figure noire et gonflée, effrayante, semblait exprimer une épouvante abominable ; il tenait entre ses dents serrées quelque chose ; et le cou, percé de cinq trous qu'on aurait dit faits avec des pointes de fer, était couvert de sang.
Un médecin nous rejoignit. Il examina longtemps les

traces des doigts dans la chair et prononça ces étranges paroles :

« On dirait qu'il a été étranglé par un squelette. »

Un frisson me passa dans le dos, et je jetai les yeux sur le mur, à la place où j'avais vu jadis l'horrible main d'écorché. Elle n'y était plus. La chaîne, brisée, pendait.

Alors je me baissai vers le mort, et je trouvai dans sa bouche crispée un des doigts de cette main disparue, coupé ou plutôt scié par les dents juste à la deuxième phalange.

Puis on procéda aux constatations. On ne découvrit rien. Aucune porte n'avait été forcée, aucune fenêtre, aucun meuble. Les deux chiens de garde ne s'étaient pas réveillés.

Voici, en quelques mots, la déposition du domestique :

« Depuis un mois, mon maître semblait agité. Il avait reçu beaucoup de lettres, brûlées à mesure.

» Souvent, prenant une cravache, dans une colère qui semblait de la démence, il avait frappé avec fureur cette main séchée, scellée au mur et enlevée, on ne sait comment, à l'heure même du crime.

» Il se couchait fort tard et s'enfermait avec soin. Il avait toujours des armes à portée du bras. Souvent, la nuit, il parlait haut, comme s'il se fût querellé avec quelqu'un. »

Cette nuit-là, par hasard, il n'avait fait aucun bruit, et c'est seulement en venant ouvrir les fenêtres que le serviteur avait trouvé sir John assassiné. Il ne soupçonnait personne.

Je communiquai ce que je savais du mort aux magistrats et aux officiers de la force publique, et on fit dans toute l'île une enquête minutieuse. On ne découvrit rien.

Or, une nuit, trois mois après le crime, j'eus un affreux cauchemar. Il me sembla que je voyais la main, l'horrible main, courir comme un scorpion ou comme une araignée le long de mes rideaux et de mes murs. Trois fois, je me réveillai, trois fois je me rendormis, trois fois je revis le hideux débris galoper autour de ma chambre en remuant les doigts comme des pattes.

Le lendemain, on me l'apporta, trouvé dans le cimetière, sur la tombe de sir John Rowel, enterré là ; car on n'avait pu découvrir sa famille. L'index manquait.

Voilà, Mesdames, mon histoire. Je ne sais rien de plus.

Les femmes, éperdues, étaient pâles, frissonnantes. Une d'elles s'écria :

« Mais ce n'est pas un dénouement cela, ni une explication ! Nous n'allons pas dormir si vous ne nous dites pas ce qui s'était passé selon vous. »

Le magistrat sourit avec sévérité :

« Oh ! moi, Mesdames, je vais gâter, certes, vos rêves terribles. Je pense tout simplement que le légitime propriétaire de la main n'était pas mort, qu'il est venu la chercher avec celle qui lui restait. Mais je n'ai pu savoir comment il a fait, par exemple. C'est là une sorte de vendetta. »

Une des femmes murmura :

« Non, ça ne doit pas être ainsi. »

Et le juge d'instruction, souriant toujours, conclut :

« Je vous avais bien dit que mon explication ne vous irait pas. »

# LA CHEVELURE

Les murs de la cellule étaient nus, peints à la chaux. Une fenêtre étroite et grillée, percée très haut de façon qu'on ne pût pas y atteindre, éclairait cette petite pièce claire et sinistre ; et le fou, assis sur une chaise de paille, nous regardait d'un œil fixe, vague et hanté. Il était fort maigre, avec des joues creuses et des cheveux presque blancs qu'on devinait blanchis en quelques mois. Ses vêtements semblaient trop larges pour ses membres secs, pour sa poitrine rétrécie, pour son ventre creux. On sentait cet homme ravagé, rongé par sa pensée, par une Pensée, comme un fruit par un ver. Sa Folie, son idée était là, dans cette tête, obstinée, harcelante, dévorante. Elle mangeait le corps peu à peu. Elle, l'Invisible, l'Impalpable, l'Insaisissable, l'Immatérielle Idée minait la chair, buvait le sang, éteignait la vie.

Quel mystère que cet homme tué par un Songe ! Il faisait peine, peur et pitié, ce Possédé ! Quel rêve étrange, épouvantable et mortel habitait dans ce front, qu'il plissait de rides profondes, sans cesse remuantes ?

Le médecin me dit : « Il a de terribles accès de fureur, c'est un des déments les plus singuliers que j'aie vus. Il est atteint de folie érotique et macabre. C'est une sorte de nécrophile. Il a d'ailleurs écrit son journal qui nous montre le plus clairement du monde la maladie de son esprit. Sa folie y est pour ainsi dire palpable. Si cela vous intéresse vous pouvez parcourir ce document. »

Je suivis le docteur dans son cabinet, et il me remit le journal de ce misérable homme. « Lisez, dit-il, et vous me direz votre avis. »

Voici ce que contenait ce cahier :

Jusqu'à l'âge de trente-deux ans, je vécus tranquille, sans amour. La vie m'apparaissait très simple, très bonne et très facile. J'étais riche. J'avais du goût pour tant de choses que je ne pouvais éprouver de passion pour rien. C'est bon de vivre ! Je me réveillais heureux, chaque jour, pour faire des choses qui me plaisaient, et je me couchais satisfait, avec l'espérance paisible du lendemain et de l'avenir sans souci.

J'avais eu quelques maîtresses sans avoir jamais senti mon cœur affolé par le désir ou mon âme meurtrie d'amour après la possession. C'est bon de vivre ainsi. C'est meilleur d'aimer, mais terrible. Encore, ceux qui aiment comme tout le monde doivent-ils éprouver un ardent bonheur, moindre que le mien peut-être, car l'amour est venu me trouver d'une incroyable manière.

Etant riche, je recherchais les meubles anciens et les vieux objets ; et souvent je pensais aux mains inconnues qui avaient palpé ces choses, aux yeux qui les avaient admirées, aux cœurs qui les avaient aimées, car on aime les choses ! Je restais souvent pendant des heures, des heures et des heures, à regarder une petite montre du siècle dernier. Elle était si mignonne, si jolie, avec son émail et son or ciselé. Et elle marchait encore comme au jour où une femme l'avait achetée dans le ravissement de posséder ce fin bijou. Elle n'avait point cessé de palpiter, de vivre sa vie de mécanique, et elle continuait toujours son tic-tac régulier, depuis un siècle passé. Qui donc l'avait portée la première sur son sein dans la tiédeur des étoffes, le cœur de la montre battant contre le cœur de la femme ? Quelle main l'avait tenue au bout de ses doigts un peu chauds, l'avait tournée, retournée, puis avait essuyé les bergers de porcelaine ternis une seconde par la moiteur de la peau ? Quels yeux avaient épié sur ce cadran fleuri l'heure attendue, l'heure chérie, l'heure divine ?

Comme j'aurais voulu la connaître, la voir, la femme qui avait choisi cet objet exquis et rare ! Elle est morte !

Je suis possédé par le désir des femmes d'autrefois ; j'aime, de loin, toutes celles qui ont aimé ! — L'histoire des tendresses passées m'emplit le cœur de regrets. Oh ! la beauté, les sourires, les caresses jeunes, les espérances ! Tout cela ne devrait-il pas être éternel !

Comme j'ai pleuré, pendant des nuits entières, sur les pauvres femmes de jadis, si belles, si tendres, si douces, dont les bras se sont ouverts pour le baiser et qui sont mortes ! Le baiser est immortel, lui ! Il va de lèvre en lèvre, de siècle en siècle, d'âge en âge. — Les hommes le recueillent, le donnent et meurent.

Le passé m'attire, le présent m'effraye parce que l'avenir c'est la mort. Je regrette tout ce qui s'est fait, je pleure tous ceux qui ont vécu ; je voudrais arrêter le temps, arrêter l'heure. Mais elle va, elle va, elle passe, elle me prend de seconde en seconde un peu de moi pour le néant de demain. Et je ne revivrai jamais.

Adieu celles d'hier. Je vous aime.

Mais je ne suis pas à plaindre. Je l'ai trouvée, moi, celle que j'attendais ; et j'ai goûté par elle d'incroyables plaisirs.

Je rôdais dans Paris par un matin de soleil, l'âme en fête, le pied joyeux, regardant les boutiques avec cet intérêt vague du flâneur. Tout à coup, j'aperçus chez un marchand d'antiquités un meuble italien du XVIIe siècle. Il était fort beau, fort rare. Je l'attribuai à un artiste vénitien du nom de Vitelli, qui fut célèbre à cette époque.

Puis je passai.

Pourquoi le souvenir de ce meuble me poursuivit-il avec tant de force que je revins sur mes pas ? Je m'arrêtai de nouveau devant le magasin pour le revoir, et je sentis qu'il me tentait.

Quelle singulière chose que la tentation ! On regarde un objet et, peu à peu, il vous séduit, vous trouble, vous envahit comme ferait un visage de femme. Son charme entre en vous, charme étrange qui vient de sa forme, de sa couleur, de sa physionomie de chose ; et on l'aime déjà, on le désire, on le veut. Un besoin de possession vous gagne, besoin doux d'abord, comme timide, mais qui s'accroît, devient violent, irrésistible.

Et les marchands semblent deviner à la flamme du regard l'envie secrète et grandissante.

J'achetai ce meuble et je le fis porter chez moi tout de suite. Je le plaçai dans ma chambre.

Oh ! je plains ceux qui ne connaissent pas cette lune de miel du collectionneur avec le bibelot qu'il vient d'acheter. On le caresse de l'œil et de la main comme s'il était de chair ; on revient à tout moment près de lui, on y pense toujours, où qu'on aille, quoi qu'on fasse. Son souvenir aimé vous suit dans la rue, dans le monde, partout ; et quand on rentre chez soi, avant même d'avoir ôté ses gants et son chapeau, on va le contempler avec une tendresse d'amant.

Vraiment, pendant huit jours, j'adorai ce meuble. J'ouvrais à chaque instant ses portes, ses tiroirs ; je le maniais avec ravissement, goûtant toutes les joies intimes de la possession.

Or, un soir, je m'aperçus, en tâtant l'épaisseur d'un panneau, qu'il devait y avoir là une cachette. Mon cœur se mit à battre, et je passai la nuit à chercher le secret sans le pouvoir découvrir.

J'y parvins le lendemain en enfonçant une lame dans une fente de la boiserie. Une planche glissa et j'aperçus, étalée sur un fond de velours noir, une merveilleuse chevelure de femme !

Oui, une chevelure, une énorme natte de cheveux blonds, presque roux, qui avaient dû être coupés contre la peau, et liés par une corde d'or.

Je demeurai stupéfait, tremblant, troublé ! Un parfum presque insensible, si vieux qu'il semblait l'âme d'une odeur, s'envolait de ce tiroir mystérieux et de cette surprenante relique.

Je la pris, doucement, presque religieusement, et je la tirai de sa cachette. Aussitôt elle se déroula, répandant son flot doré qui tomba jusqu'à terre, épais et léger, souple et brillant comme la queue en feu d'une comète.

Une émotion étrange me saisit. Qu'était-ce que cela ? Quand ? comment ? pourquoi ces cheveux avaient-ils été enfermés dans ce meuble ? Quelle aventure, quel drame cachait ce souvenir ?

Qui les avait coupés ? un amant, un jour d'adieu ? un mari, un jour de vengeance ? ou bien celle qui les avait portés sur son front, un jour de désespoir ?

Etait-ce à l'heure d'entrer au cloître qu'on avait jeté là cette fortune d'amour, comme un gage laissé au monde des vivants ? Etait-ce à l'heure de la clouer dans la tombe, la jeune et belle morte, que celui qui l'adorait avait gardé la parure de sa tête, la seule chose qu'il pût conserver d'elle, la seule partie vivante de sa chair qui ne dût point pourrir, la seule qu'il pouvait aimer encore et caresser, et baiser dans ses rages de douleur ?

N'était-ce point étrange que cette chevelure fût demeurée ainsi, alors qu'il ne restait plus une parcelle du corps dont elle était née ?

Elle me coulait sur les doigts, me chatouillait la peau d'une caresse singulière, d'une caresse de morte. Je me sentais attendri comme si j'allais pleurer.

Je la gardai longtemps, longtemps en mes mains, puis il me sembla qu'elle m'agitait, comme si quelque chose de l'âme fût resté caché dedans. Et je la remis sur le velours terni par le temps, et je repoussai le tiroir, et je refermai le meuble, et je m'en allai par les rues pour rêver.

J'allais devant moi, plein de tristesse, et aussi plein de trouble, de ce trouble qui vous reste au cœur après un baiser d'amour. Il me semblait que j'avais vécu autrefois déjà, que j'avais dû connaître cette femme.

Et les vers de Villon me montèrent aux lèvres, ainsi qu'y monte un sanglot :

*Dictes-moy où, ne en quel pays*
*Est Flora, la belle Romaine.*
*Archipiada, ne Thaïs,*
*Qui fut sa cousine germaine ?*
*Echo parlant quand bruyt on maine*
*Dessus rivière, ou sus estan ;*
*Qui beauté eut plus que humaine ?*
*Mais où sont les neiges d'antan ?*

. . . . . . . . . . . . . . . . . . . . . . . . . . . . . . . . . . .

*La royne blanche comme un lys*
*Qui chantoit à voix de sereine,*
*Berthe au grand pied, Bietris, Allys*
*Harembourges qui tint le Mayne,*
*Et Jehanne la bonne Lorraine*

*Que Anglais bruslèrent à Rouen ?*
*Où sont-ils, Vierge souveraine ?*
*Mais où sont les neiges d'antan ?*

Quand je rentrai chez moi, j'éprouvai un irrésistible désir de revoir mon étrange trouvaille ; et je la repris, et je sentis, en la touchant, un long frisson qui me courut dans les membres.

Durant quelques jours, cependant, je demeurai dans mon état ordinaire, bien que la pensée vive de cette chevelure ne me quittât plus.

Dès que je rentrais, il fallait que je la visse et que je la maniasse. Je tournais la clef de l'armoire avec ce frémissement qu'on a en ouvrant la porte de la bien-aimée, car j'avais aux mains et au cœur un besoin confus, singulier, continu, sensuel de tremper mes doigts dans ce ruisseau charmant de cheveux morts.

Puis, quand j'avais fini de la caresser, quand j'avais refermé le meuble, je la sentais là toujours, comme si elle eût été un être vivant, caché, prisonnier ; je la sentais et je la désirais encore ; j'avais de nouveau le besoin impérieux de la reprendre, de la palper, de m'énerver jusqu'au malaise par ce contact froid, glissant, irritant, affolant, délicieux.

Je vécus ainsi un mois ou deux, je ne sais plus. Elle m'obsédait, me hantait. J'étais heureux et torturé, comme dans une attente d'amour, comme après les aveux qui précèdent l'étreinte.

Je m'enfermais seul avec elle pour la sentir sur ma peau, pour enfoncer mes lèvres dedans, pour la baiser, la mordre. Je l'enroulais autour de mon visage, je la buvais, je noyais mes yeux dans son onde dorée, afin de voir le jour blond, à travers.

Je l'aimais ! Oui, je l'aimais. Je ne pouvais plus me passer d'elle, ni rester une heure sans la revoir.

Et j'attendais... j'attendais... quoi ? Je ne le savais pas. — Elle.

Une nuit je me réveillai brusquement avec la pensée que je ne me trouvais pas seul dans ma chambre.

J'étais seul pourtant. Mais je ne pus me rendormir ; et comme je m'agitais dans une fièvre d'insomnie, je me levai pour aller toucher la chevelure. Elle me parut plus douce que de coutume, plus animée. Les morts reviennent-ils ? Les baisers dont je la réchauffais me faisaient défaillir de bonheur ; et je l'emportai dans mon lit, et je me couchai, en la pressant sur mes lèvres, comme une maîtresse qu'on va posséder.

Les morts reviennent ! Elle est venue. Oui, je l'ai vue, je l'ai tenue, je l'ai eue, telle qu'elle était vivante autrefois, grande, blonde, grasse, les seins froids, la hanche en forme de lyre ; et j'ai parcouru de mes caresses cette ligne ondulante et divine qui va de la gorge aux pieds en suivant toutes les courbes de la chair.

Oui, je l'ai vue, tous les jours, toutes les nuits. Elle est revenue, la Morte, la belle Morte, l'Adorable, la Mystérieuse, l'Inconnue, toutes les nuits.

Mon bonheur fut si grand, que je ne l'ai pu cacher. J'éprouvais près d'elle un ravissement surhumain, la joie profonde, inexplicable de posséder l'Insaisissable, l'Invisible, la Morte ! Nul amant ne goûta des jouissances plus ardentes, plus terribles !

Je n'ai point su cacher mon bonheur. Je l'aimais si fort que je n'ai plus voulu la quitter. Je l'ai emportée avec moi toujours, partout. Je l'ai promenée par la ville comme ma femme, et conduite au théâtre en des loges grillées, comme ma maîtresse... Mais on l'a vue... on a deviné... on me l'a prise... Et on m'a jeté dans une prison, comme un malfaiteur. On l'a prise... Oh ! misère !...

Le manuscrit s'arrêtait là. Et soudain, comme je relevais sur le médecin des yeux effarés, un cri épouvantable, un hurlement de fureur impuissante et de désir exaspéré s'éleva dans l'asile.

« Ecoutez-le, dit le docteur. Il faut doucher cinq fois par jour ce fou obscène. Il n'y a pas que le sergent Bertrand qui ait aimé les mortes. »

Je balbutiai, ému d'étonnement, d'horreur et de pitié :

« Mais... cette chevelure... existe-t-elle réellement ? »

Le médecin se leva, ouvrit une armoire pleine de fioles et d'instruments et il me jeta, à travers son cabinet, une longue fusée de cheveux blonds qui vola vers moi comme un oiseau d'or.

Je frémis en sentant sur mes mains son toucher caressant et léger. Et je restai le cœur battant de dégoût et d'envie, de dégoût comme au contact des objets traînés dans les crimes, d'envie comme devant la tentation d'une chose infâme et mystérieuse.

Le médecin reprit en haussant les épaules :

« L'esprit de l'homme est capable de tout. »

# LE TIC

Les dîneurs entraient lentement dans la grande salle de l'hôtel et s'asseyaient à leurs places. Les domestiques commencèrent le service tout doucement pour permettre aux retardataires d'arriver et pour n'avoir point à rapporter les plats ; et les anciens baigneurs, les habitués, ceux dont la saison avançait, regardaient avec intérêt la porte chaque fois qu'elle s'ouvrait, avec le désir de voir paraître de nouveaux visages.

C'est là la grande distraction des villes d'eaux. On attend le dîner pour inspecter les arrivés du jour, pour deviner ce qu'ils sont, ce qu'ils font, ce qu'ils pensent. Un désir rôde dans notre esprit, le désir de rencontres agréables, de connaissances aimables, d'amours peut-être. Dans cette vie de coudoiements, les voisins, les inconnus, prennent une importance extrême. La curiosité est en éveil, la sympathie en attente et la sociabilité en travail.

On a des antipathies d'une semaine et des amitiés d'un mois, on voit les gens avec des yeux différents, sous l'optique spéciale de la connaissance de ville d'eaux. On découvre aux hommes, subitement, dans une causerie d'une heure, le soir, après dîner, sous les arbres du parc où bouillonne la source guérisseuse, une intelligence supérieure et des mérites surprenants, et, un mois plus tard, on a complètement oublié ces nouveaux amis, si charmants aux premiers jours.

Là aussi se forment des liens durables et sérieux, plus vite que partout ailleurs. On se voit tout le jour, on se connaît très vite ; et dans l'affection qui commence se mêle quelque chose de la douceur et de l'abandon des intimités anciennes. On garde plus tard le souvenir cher et attendri de ces premières heures d'amitié, le souvenir de ces premières causeries par qui se fait la découverte de l'âme, de ces premiers regards qui interrogent et répondent aux questions et aux pensées secrètes que la bouche ne dit point encore, le souvenir de cette première confiance cordiale, le souvenir de cette sensation charmante d'ouvrir son cœur à quelqu'un qui semble aussi vous ouvrir le sien.

Et la tristesse de la station de bains, la monotonie des jours tous pareils, rendent plus complète d'heure en heure cette éclosion d'affection.

Donc, ce soir-là, comme tous les soirs, nous attendions l'entrée de figures inconnues.

Il n'en vint que deux, mais très étranges, un homme et une femme : le père et la fille. Ils me firent l'effet, tout de suite, de personnages d'Edgar Poe ; et pourtant il y avait en eux un charme, un charme malheureux ; je me les représentai comme des victimes de la fatalité. L'homme était très grand et maigre, un peu voûté, avec des cheveux tout blancs, trop blancs pour sa physionomie jeune encore ; et il avait dans son allure et dans sa personne quelque chose de grave, cette tenue austère que gardent les protestants. La fille, âgée peut-être de vingt-quatre ou vingt-cinq ans, était petite, fort maigre aussi, fort pâle, avec un air las, fatigué, accablé. On rencontre ainsi des gens qui semblent trop faibles pour les besognes et les nécessités de la vie, trop faibles pour se remuer, pour marcher, pour faire tout ce que nous faisons tous les jours. Elle était assez jolie, cette enfant, d'une beauté diaphane d'apparition ; et elle mangeait avec une extrême lenteur, comme si elle eût été presque incapable de mouvoir ses bras.

C'était elle assurément qui venait prendre les eaux.

Ils se trouvèrent en face de moi, de l'autre côté de la table ; et je remarquai immédiatement que le père avait un tic nerveux fort singulier.

Chaque fois qu'il voulait atteindre un objet, sa main décrivait un crochet rapide, une sorte de zigzag affolé, avant de parvenir à toucher ce qu'elle cherchait. Au bout de quelques instants ce mouvement me fatigua tellement que je détournais la tête pour ne pas le voir.

Je remarquai aussi que la jeune fille gardait, pour manger, un gant à la main gauche.

Après dîner, j'allai faire un tour dans le parc de l'établissement thermal. Cela se passait dans une petite station d'Auvergne, Châtel-Guyon, cachée dans une gorge, au pied de la haute montagne, de cette montagne d'où s'écoulent tant de sources bouillantes, venues du foyer profond des anciens volcans. Là-bas, au-dessus de nous, les dômes, cratères éteints, levaient leurs têtes tronquées au-dessus de la longue chaîne. Car Châtel-Guyon est au commencement du pays des dômes.

Plus loin s'étend le pays des pics ; et, plus loin, encore, le pays des plombs.

Le puy de Dôme est le plus haut des dômes, le pic du Sancy le plus élevé des pics, et le plomb du Cantal le plus grand des plombs.

Il faisait très chaud ce soir-là. J'allais, de long en large dans l'allée ombreuse, écoutant, sur le mamelon qui domine le parc, la musique du casino jeter ses premières chansons.

Et j'aperçus, venant vers moi, d'un pas lent, le père et la fille. Je les saluai, comme on salue dans les villes d'eaux ses compagnons d'hôtel ; et l'homme, s'arrêtant aussitôt, me demanda :

« Ne pourriez-vous, Monsieur, nous indiquer une promenade courte, facile et jolie si c'est possible ; et excusez mon indiscrétion. »

Je m'offris à les conduire au vallon où coule la mince rivière, vallon profond, gorge étroite entre deux grandes pentes rocheuses et boisées.

Ils acceptèrent.

Et nous parlâmes, naturellement, de la vertu des eaux.

« Oh, disait-il, ma fille a une étrange maladie, dont on ignore le siège. Elle souffre d'accidents nerveux incompréhensibles. Tantôt on la croit atteinte d'une maladie de cœur, tantôt d'une maladie de foie, tantôt d'une maladie de la moelle épinière. Aujourd'hui on attribue à l'estomac, qui est la grande chaudière et le grand régulateur du corps, ce mal-Protée aux mille formes et aux mille atteintes. Voilà pourquoi nous sommes ici. Moi je crois plutôt que ce sont les nerfs. En tout cas, c'est bien triste. »

Le souvenir me vint aussitôt du tic violent de sa main, et je lui demandai :

« Mais n'est-ce pas là de l'hérédité ? N'avez-vous pas vous-même les nerfs un peu malades ? »

Il répondit tranquillement :

« Moi ? ... Mais non... j'ai toujours eu les nerfs très calmes... »

Puis soudain, après un silence, il reprit :

« Ah ! vous faites allusion au spasme de ma main chaque fois que je veux prendre quelque chose ? Cela provient d'une émotion terrible que j'ai eue. Figurez-vous que cette enfant a été enterrée vivante ! »

Je ne trouvai rien à dire qu'un « Ah ! » de surprise et d'émotion.

Il reprit :

Voici l'aventure. Elle est simple. Juliette avait depuis quelque temps de graves accidents au cœur. Nous croyions à une maladie de cet organe, et nous nous attendions à tout.

On la rapporta un jour froide, inanimée, morte. Elle venait de tomber dans le jardin. Le médecin constata le décès. Je veillai près d'elle un jour et deux nuits ; je la mis moi-même dans le cercueil, que j'accompagnai jusqu'au cimetière où il fut déposé dans notre caveau de famille. C'était en pleine campagne, en Lorraine.

J'avais voulu qu'elle fût ensevelie avec ses bijoux, bracelets, colliers, bagues, tous cadeaux qu'elle tenait de moi, et avec sa première robe de bal.

Vous devez penser quel était l'état de mon cœur et l'état de mon âme en rentrant chez moi. Je n'avais qu'elle, ma femme étant morte depuis longtemps. Je rentrai seul, à moitié fou, exténué, dans ma chambre, et je tombai dans mon fauteuil, sans pensée, sans force maintenant pour faire un mouvement. Je n'étais plus qu'une machine douloureuse, vibrante, un écorché ; mon âme ressemblait à une plaie vive.

Mon vieux valet de chambre, Prosper, qui m'avait aidé à déposer Juliette dans son cercueil, et à la parer pour ce dernier sommeil, entra sans bruit et demanda :

« Monsieur veut-il prendre quelque chose ? »

Je fis « non » de la tête sans répondre.

Il reprit :

« Monsieur a tort. Il arrivera du mal à Monsieur. Monsieur veut-il alors que je le mette au lit ? »

Je prononçai :

« Non, laisse-moi. »

Et il se retira.

Combien s'écoula-t-il d'heures, je n'en sais rien. Oh ! quelle nuit ! quelle nuit ! Il faisait froid ; mon feu s'était éteint dans la grande cheminée ; et le vent, un vent d'hiver, un vent glacé, un grand vent de pleine gelée, heurtait les fenêtres avec un bruit sinistre et régulier.

Combien s'écoula-t-il d'heures ? J'étais là, sans dormir, affaissé, accablé, les yeux ouverts, les jambes allongées, le corps mou, mort, et l'esprit engourdi de désespoir. Tout à coup, la grande cloche de la porte d'entrée, la grande cloche du vestibule tinta.

J'eus une telle secousse que mon siège craqua sous moi. Le son grave et pesant vibrait dans le château vide comme dans un caveau. Je me retournai pour voir l'heure à mon horloge. Il était deux heures du matin. Qui pouvait venir à cette heure ?

Et brusquement la cloche sonna de nouveau deux coups. Les domestiques, sans doute, n'osaient pas se lever. Je pris une bougie et je descendis. Je faillis demander :

« Qui est là ? »

Puis j'eus honte de cette faiblesse ; et je tirai lentement les gros verrous. Mon cœur battait ; j'avais peur. J'ouvris la porte brusquement et j'aperçus dans l'ombre une forme blanche dressée, quelque chose comme un fantôme.

Je reculai, perclus d'angoisse, balbutiant :

« Qui... qui... qui êtes-vous ? »

Une voix répondit :

« C'est moi, père. »

C'était ma fille.

Certes, je me crus fou ; et je m'en allais à reculons devant ce spectre qui entrait ; je m'en allais, faisant de la main, comme pour le chasser, ce geste que vous avez vu tout à l'heure ; ce geste qui ne m'a plus quitté.

L'apparition reprit :

« N'aie pas peur, papa ; je n'étais pas morte. On a voulu me voler mes bagues, et on m'a coupé un doigt ; le sang s'est mis à couler, et cela m'a ranimée. »

Et je m'aperçus, en effet, qu'elle était couverte de sang.

Je tombai sur les genoux, étouffant, sanglotant, râlant.

Puis, quand j'eus ressaisi un peu ma pensée, tellement éperdu encore que je comprenais mal le bonheur terrible qui m'arrivait, je la fis monter dans ma chambre, je la fis asseoir dans mon fauteuil ; puis je sonnai Prosper à coups précipités pour qu'il rallumât le feu, qu'il préparât à boire et allât chercher des secours.

L'homme entra, regarda ma fille, ouvrit la bouche dans un spasme d'épouvante et d'horreur, puis tomba roide mort sur le dos.

C'était lui qui avait ouvert le caveau, qui avait mutilé, puis abandonné mon enfant : car il ne pouvait effacer les traces du vol. Il n'avait même pas pris soin de remettre le cercueil dans sa case, sûr d'ailleurs de n'être pas soupçonné par moi, dont il avait toute la confiance.

Vous voyez, Monsieur, que nous sommes des gens bien malheureux.

Il se tut.

La nuit était venue, enveloppant le petit vallon solitaire et triste, et une sorte de peur mystérieuse m'étreignait à me sentir auprès de ces êtres étranges, de cette morte revenue et de ce père aux gestes effrayants.

Je ne trouvais rien à dire. Je murmurai :

« Quelle horrible chose !... »

Puis, après une minute, j'ajoutai :

« Si nous rentrions, il me semble qu'il fait frais. »

Et nous retournâmes vers l'hôtel.

# UN FOU ?

Quand on me dit : « Vous savez que Jacques Parent est mort fou dans une maison de santé », un frisson douloureux, un frisson de peur et d'angoisse me courut le long des os ; et je le revis brusquement, ce grand garçon étrange, fou depuis longtemps peut-être, maniaque inquiétant, effrayant même.

C'était un homme de quarante ans, haut, maigre, un peu voûté, avec des yeux d'halluciné, des yeux noirs, si noirs qu'on ne distinguait pas la pupille, des yeux mobiles, rôdeurs, malades, hantés. Quel être singulier, troublant, qui apportait, qui jetait un malaise autour de lui, un malaise vague, de l'âme, du corps, un de ces énervements incompréhensibles qui font croire à des influences surnaturelles !

Il avait un tic gênant : la manie de cacher ses mains. Presque jamais il ne les laissait errer, comme nous faisons tous, sur les objets, sur les tables. Jamais il ne maniait les choses traînantes avec ce geste familier qu'ont presque tous les hommes. Jamais il ne les laissait nues, ses longues mains osseuses, fines, un peu fébriles.

Il les enfonçait dans ses poches, sous les revers de ses aisselles en croisant les bras. On eût dit qu'il avait peur qu'elles ne fissent, malgré lui, quelque besogne défendue, qu'elles n'accomplissent quelque action honteuse ou ridicule s'il les laissait libres et maîtresses de leurs mouvements.

Quand il était obligé de s'en servir pour tous les usages ordinaires de la vie, il le faisait par saccades brusques, par élans rapides du bras comme s'il n'eût pas voulu leur laisser le temps d'agir par elles-mêmes, de se refuser à sa volonté, d'exécuter autre chose. A table, il saisissait son verre, sa fourchette ou son couteau si vivement qu'on n'avait jamais le temps de prévoir ce qu'il voulait faire avant qu'il ne l'eût accompli.

Or, j'eus un soir l'explication de la surprenante maladie de son âme.

Il venait passer de temps en temps quelques jours chez moi, à la campagne, et ce soir-là il me paraissait particulièrement agité !

Un orage montait dans le ciel, étouffant et noir, après une journée d'atroce chaleur. Aucun souffle d'air ne remuait les feuilles. Une vapeur chaude de four passait sur les visages, faisait haleter les poitrines. Je me sentais mal à l'aise, agité, et je voulus gagner mon lit.

Quand il me vit me lever pour partir, Jacques Parent me saisit le bras d'un geste effaré.

« Oh ! non, reste encore un peu », me dit-il.

Je le regardai avec surprise en murmurant :

« C'est que cet orage me secoue les nerfs. »

Il gémit, ou plutôt il cria :

« Et moi donc ! Oh ! reste, je te prie ; je ne voudrais pas demeurer seul. »

Il avait l'air affolé.

Je prononçai :

« Qu'est-ce que tu as ? Perds-tu la tête ?

— Oui, par moments, dans les soirs comme celui-ci, dans les soirs d'électricité… j'ai… j'ai… j'ai peur… j'ai peur de moi… tu ne me comprends pas ? C'est que je suis doué d'un pouvoir… non… d'une puissance… non… d'une force… Enfin, je ne sais pas dire ce que c'est, mais j'ai en moi une action magnétique si extraordinaire que j'ai peur, oui, j'ai peur de moi, comme je te le disais tout à l'heure ! »

Et il cachait, avec des frissons éperdus, ses mains vibrantes sous les revers de sa jaquette. Et moi-même je me sentis soudain tout tremblant d'une crainte confuse, puissante, horrible. J'avais envie de partir, de me sauver, de ne plus le voir, de ne plus voir son œil errant passer sur moi, puis s'enfuir, tourner autour du plafond, chercher quelque coin sombre de la pièce pour s'y fixer, comme s'il eût voulu cacher aussi son regard redoutable.

Je balbutiai :

« Tu ne m'avais jamais dit ça ! »

Il reprit :

« Est-ce que j'en parle à personne ? Tiens, écoute, ce soir je ne puis me taire. Et j'aime mieux que tu saches tout ; d'ailleurs, tu pourras me secourir.

» Le magnétisme ! Sais-tu ce que c'est ? Non. Personne ne sait. On le constate pourtant. On le reconnaît, les médecins eux-mêmes le pratiquent ; un des plus illustres, M. Charcot, le professe ; donc, pas de doute, cela existe.

» Un homme, un être a le pouvoir, effrayant et incompréhensible, d'endormir, par la force de sa volonté, un autre être, et, pendant qu'il dort, de lui voler sa pensée comme on volerait une bourse. Il lui vole sa pensée, c'est-à-dire son âme, l'âme, ce sanctuaire, ce secret du Moi, l'âme, ce fond de l'homme qu'on croyait impénétrable, l'âme, cet asile des inavouables idées, de tout ce qu'on cache, de tout ce qu'on aime, de tout ce qu'on veut celer à tous les humains, il l'ouvre, la viole, l'étale, la jette au public ! N'est-ce pas atroce, criminel, infâme ?

» Pourquoi, comment cela se fait-il ? Le sait-on ? Mais que sait-on ?

» Tout est mystère. Nous ne communiquons avec les choses que par nos misérables sens, incomplets, infirmes, si faibles qu'ils ont à peine la puissance de constater ce qui nous entoure. Tout est mystère. Songe à la musique, cet art divin, cet art qui bouleverse l'âme, l'emporte, la grise, l'affole, qu'est-ce donc ? Rien.

» Tu ne me comprends pas ? Ecoute. Deux corps se heurtent. L'air vibre. Ces vibrations sont plus ou moins nombreuses, plus ou moins rapides, plus ou moins fortes, selon la nature du choc. Or, nous avons dans l'oreille une petite peau qui reçoit ces vibrations de l'air et les transmet au cerveau sous forme de son. Imagine qu'un verre d'eau se change en vin dans ta bouche. Le tympan accomplit cette incroyable métamorphose, ce surprenant miracle de changer le mouvement en son. Voilà.

» La musique, cet art complexe et mystérieux, précis comme l'algèbre et vague comme un rêve, cet art fait de mathématiques et de brise, ne vient donc que de la propriété étrange d'une petite peau. Elle n'existerait point, cette peau, que le son non plus n'existerait pas, puisque par lui-même il n'est qu'une vibration. Sans l'oreille, devinerait-on la musique ? Non. Eh bien ! nous sommes entourés de choses que nous ne soupçonnerons jamais, parce que les organes nous manquent qui nous les révéleraient.

» Le magnétisme est de celles-là peut-être. Nous ne pouvons que pressentir cette puissance, que tenter en tremblant ce voisinage des esprits, qu'entrevoir ce nouveau secret de la nature, parce que nous n'avons point en nous l'instrument révélateur.

» Quant à moi... Quant à moi, je suis doué d'une puissance affreuse. On dirait un autre être enfermé en moi, qui veut sans cesse s'échapper, agir malgré moi, qui s'agite, me ronge, m'épuise. Quel est-il ? Je ne sais pas, mais nous sommes deux dans mon pauvre corps, et c'est lui, l'autre, qui est souvent le plus fort, comme ce soir.

» Je n'ai qu'à regarder les gens pour les engourdir comme si je leur avais versé de l'opium. Je n'ai qu'à étendre les mains pour produire des choses... des choses... terribles. Si tu savais ? Oui, si tu savais ? Mon pouvoir ne s'étend pas seulement sur les hommes, mais aussi sur les animaux et même... sur les objets...

» Cela me torture et m'épouvante. J'ai eu envie souvent de me crever les yeux et de me couper les poignets.

» Mais je vais... je veux que tu saches tout. Tiens. Je vais te montrer cela... non pas sur des créatures humaines, c'est ce qu'on fait partout, mais sur... sur... des bêtes.

» Appelle Mirza. »

Il marchait à grands pas avec des airs d'halluciné, et il sortit ses mains cachées dans sa poitrine. Elles me semblèrent effrayantes comme s'il eût mis à nu deux épées.

Et je lui obéis machinalement, subjugué, vibrant de terreur et dévoré d'une sorte de désir impétueux de voir. J'ouvris la porte et je sifflai ma chienne qui couchait dans le vestibule. J'entendis aussitôt le bruit précipité de ses ongles sur les marches de l'escalier, et elle apparut joyeuse, remuant la queue.

Puis je lui fis signe de se coucher sur un fauteuil ; elle y sauta, et Jacques se mit à la caresser en la regardant.

D'abord, elle sembla inquiète ; elle frissonnait, tournait la tête pour éviter l'œil fixe de l'homme, semblait agitée d'une crainte grandissante. Tout à coup, elle commença à trembler, comme tremblent les chiens. Tout son corps palpitait, secoué de longs frissons, et elle voulut s'enfuir. Mais il posa sa main sur le crâne de l'animal qui poussa, sous ce toucher, un de ces longs hurlements qu'on entend, la nuit, dans la campagne.

Je me sentais moi-même engourdi, étourdi, ainsi qu'on l'est lorsqu'on monte en barque. Je voyais se pencher les meubles, remuer les murs. Je balbutiai : « Assez, Jacques, assez. » Mais il ne m'écoutait plus, il regardait Mirza d'une façon continue, effrayante. Elle fermait les yeux maintenant et laissait tomber sa tête comme on fait en s'endormant. Il se tourna vers moi.

« C'est fait, dit-il, vois maintenant. »

Et jetant son mouchoir de l'autre côté de l'appartement, il cria :

« Apporte ! »

La bête alors se souleva et chancelant, trébuchant comme si elle eût été aveugle, remuant ses pattes comme les paralytiques remuent leurs jambes, elle s'en alla vers le linge qui faisait une tache blanche contre le mur. Elle essaya plusieurs fois de le prendre dans sa gueule, mais elle mordait à côté comme si elle ne l'eût pas vu. Elle le saisit enfin, et revint de la même allure ballottée de chien somnambule.

C'était une chose terrifiante à voir. Il commanda : « Couche-toi. » Elle se coucha. Alors, touchant le front, il dit : « Un lièvre, pille, pille. » Et la bête, toujours sur le flanc, essaya de courir, s'agita comme font les chiens qui rêvent, et poussa, sans ouvrir la gueule, des petits aboiements étranges, des aboiements de ventriloque.

Jacques semblait devenu fou. La sueur coulait de son front. Il cria : « Mords-le, mords ton maître. » Elle eut deux ou trois soubresauts terribles. On eût juré qu'elle résistait, qu'elle luttait. Il répéta : « Mords-le. » Alors, se levant, ma chienne s'en vint vers moi, et moi je reculais vers la muraille, frémissant d'épouvante, le pied levé pour la frapper, pour la repousser.

Mais Jacques ordonna : « Ici, tout de suite. » Elle se retourna vers lui. Alors, de ses deux grandes mains, il se mit à lui frotter la tête comme s'il l'eût débarrassée de liens invisibles.

Mirza rouvrit les yeux : « C'est fini », dit-il.

Je n'osais point la toucher et je poussai la porte pour qu'elle s'en allât. Elle partit lentement, tremblante, épuisée, et j'entendis de nouveau ses griffes frapper les marches.

Mais Jacques revint vers moi : « Ce n'est pas tout. Ce qui m'effraie le plus, c'est ceci, tiens. Les objets m'obéissent. »

Il y avait sur ma table une sorte de couteau-poignard dont je me servais pour couper les feuillets des livres. Il allongea sa main vers lui. Elle semblait ramper, s'approchait lentement ; et tout d'un coup, je vis, oui, je vis le couteau lui-même tressaillir, puis il remua, puis il glissa doucement, tout seul, sur le bois vers la main arrêtée qui l'attendait, et il vint se placer sous ses doigts.

Je me mis à crier de terreur. Je crus que je devenais fou moi-même, mais le son aigu de sa voix me calma soudain.

Jacques reprit :

« Tous les objets viennent ainsi vers moi. C'est pour cela que je cache mes mains. Qu'est cela ? Du magnétisme, de l'électricité, de l'aimant ? Je ne sais pas, mais c'est horrible.

» Et comprends-tu pourquoi c'est horrible ? Quand je suis seul, aussitôt que je suis seul, je ne puis m'empêcher d'attirer tout ce qui m'entoure.

» Et je passe des jours entiers à changer des choses de place, ne me lassant jamais d'essayer ce pouvoir abominable, comme pour voir s'il ne m'a pas quitté. »

Il avait enfoui ses grandes mains dans ses poches et il regardait dans la nuit. Un petit bruit, un frémissement léger semblait passer dans les arbres.

C'était la pluie qui commençait à tomber.

Je murmurai : « C'est effrayant ! »

Il répéta : « C'est horrible. »

Une rumeur accourut dans le feuillage, comme un coup de vent. C'était l'averse, l'ondée épaisse, torrentielle.

Jacques se mit à respirer par grands souffles qui soulevaient sa poitrine.

— Laisse-moi, dit-il, la pluie va me calmer. Je désire être seul à présent.

# LETTRE D'UN FOU

Mon cher docteur, je me mets entre vos mains. Faites de moi ce qu'il vous plaira.

Je vais vous dire bien franchement mon étrange état d'esprit, et vous apprécierez s'il ne vaudrait pas mieux qu'on prît soin de moi pendant quelque temps dans une maison de santé plutôt que de me laisser en proie aux hallucinations et aux souffrances qui me harcèlent.

Voici l'histoire, longue et exacte, du mal singulier de mon âme.

Je vivais comme tout le monde, regardant la vie avec les yeux ouverts et aveugles de l'homme, sans m'étonner et sans comprendre. Je vivais comme vivent les bêtes, comme nous vivons tous, accomplissant toutes les fonctions de l'existence, examinant et croyant voir, croyant savoir, croyant connaître ce qui m'entoure, quand, un jour, je me suis aperçu que tout est faux.

C'est une phrase de Montesquieu qui a éclairé brusquement ma pensée. La voici : « Un organe de plus ou de moins dans notre machine nous aurait fait une autre intelligence.

» ... Enfin toutes les lois établies sur ce que notre machine est d'une certaine façon seraient différentes si notre machine n'était pas de cette façon. »

J'ai réfléchi à cela pendant des mois, des mois et des

mois, et, peu à peu, une étrange clarté est entrée en moi, et cette clarté y a fait la nuit.

En effet — nos organes sont les seuls intermédiaires entre le monde extérieur et nous. C'est-à-dire que l'être intérieur, qui constitue *le moi*, se trouve en contact, au moyen de quelques filets nerveux, avec l'être extérieur qui constitue le monde.

Or, outre que cet être extérieur nous échappe par ses proportions, sa durée, ses propriétés innombrables et impénétrables, ses origines, son avenir ou ses fins, ses formes lointaines et ses manifestations infinies, nos organes ne nous fournissent encore sur la parcelle de lui que nous pouvons connaître que des renseignements aussi incertains que peu nombreux.

Incertains, parce que ce sont uniquement les propriétés de nos organes qui déterminent pour nous les propriétés apparentes de la matière.

Peu nombreux, parce que nos sens n'étant qu'au nombre de cinq, le champ de leurs investigations et la nature de leurs révélations se trouvent fort restreints.

Je m'explique. — L'œil nous indique les dimensions, les formes et les couleurs. Il nous trompe sur ces trois points.

Il ne peut nous révéler que les objets et les êtres de dimension moyenne, en proportion avec la taille humaine, ce qui nous a amenés à appliquer le mot grand à certaines choses et le mot petit à certaines autres, uniquement parce que sa faiblesse ne lui permet pas de connaître ce qui est trop vaste ou trop menu pour lui. D'où il résulte qu'il ne sait et ne voit presque rien, que l'univers presque entier lui demeure caché, l'étoile qui habite l'espace et l'animalcule qui habite la goutte d'eau.

S'il avait même cent millions de fois sa puissance normale, s'il apercevait dans l'air que nous respirons toutes les races d'êtres invisibles, ainsi que les habitants des planètes voisines, il existerait encore des nombres infinis de races de bêtes plus petites et des mondes tellement lointains qu'il ne les atteindrait pas.

Donc toutes nos idées de proportion sont fausses puisqu'il n'y a pas de limite possible dans la grandeur ni dans la petitesse.

Notre appréciation sur les dimensions et les formes n'a aucune valeur absolue, étant déterminée uniquement par la puissance d'un organe et par une comparaison constante avec nous-mêmes.

Ajoutons que l'œil est encore incapable de voir le transparent. Un verre sans défaut le trompe. Il le confond avec l'air qu'il ne voit pas non plus.

Passons à la couleur.

La couleur existe parce que notre œil est constitué de telle sorte qu'il transmet au cerveau, sous forme de couleur, les diverses façons dont les corps absorbent et décomposent, suivant leur constitution chimique, les rayons lumineux qui les frappent.

Toutes les proportions de cette absorption et de cette décomposition constituent les nuances.

Donc cet organe impose à l'esprit sa manière de voir, ou mieux sa façon arbitraire de constater les dimensions et d'apprécier les rapports de la lumière et de la matière.

Examinons l'ouïe.

Plus encore qu'avec l'œil, nous sommes les jouets et les dupes de cet organe fantaisiste.

Deux corps se heurtant produisent un certain ébranlement de l'atmosphère. Ce mouvement fait tressaillir dans notre oreille une certaine petite peau qui change immédiatement en bruit ce qui n'est, en réalité, qu'une vibration.

La nature est muette. Mais le tympan possède la propriété miraculeuse de nous transmettre sous forme de sens, et de sens différents suivant le nombre des vibrations, tous les frémissements des ondes invisibles de l'espace.

Cette métamorphose accomplie par le nerf auditif dans le court trajet de l'oreille au cerveau nous a permis de créer un art étrange, la musique, le plus poétique et le plus précis des arts, vague comme un songe et exact comme l'algèbre.

Que dire du goût et de l'odorat ? Connaîtrions-nous les parfums et la qualité des nourritures sans les propriétés bizarres de notre nez et de notre palais ?

L'humanité pourrait exister cependant sans l'oreille, sans le goût et sans l'odorat, c'est-à-dire sans aucune notion du bruit, de la saveur et de l'odeur.

Donc, si nous avions quelques organes de moins, nous ignorerions d'admirables et singulières choses, mais si nous avions quelques organes de plus, nous découvririons autour de nous une infinité d'autres choses que nous ne soupçonnerons jamais faute de moyen de les constater.

Donc, nous nous trompons en jugeant le Connu, et nous sommes entourés d'Inconnu inexploré.

Donc, tout est incertain et appréciable de manières différentes.

Tout est faux, tout est possible, tout est douteux.

Formulons cette certitude en nous servant du vieux dicton : « Vérité en deçà des Pyrénées, erreur au delà. »

Et disons : vérité dans notre organe, erreur à côté.

Deux et deux ne doivent plus faire quatre en dehors de notre atmosphère.

Vérité sur la terre, erreur plus loin, d'où je conclus que les mystères entrevus comme l'électricité, le sommeil hypnotique, la transmission de la volonté, la suggestion, tous les phénomènes magnétiques, ne nous demeurent cachés, que parce que la nature ne nous a pas fourni l'organe, ou les organes nécessaires pour les comprendre.

Après m'être convaincu que tout ce que me révèlent mes sens n'existe que pour moi tel que je le perçois et serait totalement différent pour un autre être autrement organisé, après en avoir conclu qu'une humanité diversement faite aurait sur le monde, sur la vie, sur tout, des idées absolument opposées aux nôtres, car l'accord des croyances ne résulte que de la similitude des organes humains, et les divergences d'opinions ne proviennent que des légères différences de fonctionnement de nos filets nerveux, j'ai fait un effort de pensée surhumain pour soupçonner l'impénétrable qui m'entoure.

Suis-je devenu fou ?

Je me suis dit : « Je suis enveloppé de choses inconnues. » J'ai supposé l'homme sans oreilles et soupçonnant le son comme nous soupçonnons tant de mystères cachés, l'homme constatant des phénomènes acoustiques dont il ne pourrait déterminer ni la nature, ni la provenance. Et j'ai eu peur de tout, autour de moi, peur de l'air, peur de la nuit. Du moment que nous ne pouvons connaître presque rien, et du moment que tout est sans limites, quel est le reste ? Le vide n'est pas ? Qu'y a-t-il dans le vide apparent ?

Et cette terreur confuse du surnaturel qui hante l'homme depuis la naissance du monde est légitime puisque le surnaturel n'est pas autre chose que ce qui nous demeure voilé !

Alors j'ai compris l'épouvante. Il m'a semblé que je touchais sans cesse à la découverte d'un secret de l'univers.

J'ai tenté d'aiguiser mes organes, de les exciter, de leur faire percevoir par moments l'invisible.

Je me suis dit : « Tout est un être. Le cri qui passe dans l'air est un être comparable à la bête puisqu'il naît, produit un mouvement, se transforme encore pour mourir. Or, l'esprit craintif qui croit à des êtres incorporels n'a donc pas tort. Qui sont-ils ? »

Combien d'hommes les pressentent, frémissent à leur approche, tremblent à leur inappréciable contact. On les sent auprès de soi, autour de soi, mais on ne les peut distinguer, car nous n'avons pas l'œil qui les verrait, ou plutôt l'organe inconnu qui pourrait les découvrir.

Alors, plus que personne, je les sentais, moi, ces passants surnaturels. Etres ou mystères ? Le sais-je ? Je ne pourrais dire ce qu'ils sont, mais je pourrais toujours signaler leur présence. Et j'ai vu — j'ai vu un être invisible — autant qu'on peut les voir, ces êtres.

Je demeurais des nuits entières immobile, assis devant ma table, la tête dans mes mains et songeant à cela, songeant à eux. Souvent j'ai cru qu'une main intangible, ou plutôt qu'un corps insaisissable, m'effleurait légèrement les cheveux. Il ne me touchait pas, n'étant point d'essence charnelle, mais d'essence impondérable, inconnaissable.

Or, un soir, j'ai entendu craquer mon parquet derrière moi. Il a craqué d'une façon singulière. J'ai frémi. Je me suis tourné. Je n'ai rien vu. Et je n'y ai plus songé.

Mais le lendemain, à la même heure, le même bruit s'est produit. J'ai eu tellement peur que je me suis levé, sûr, sûr, sûr, que je n'étais pas seul dans ma chambre. On ne voyait rien pourtant. L'air était limpide, transparent partout. Mes deux lampes éclairaient tous les coins.

Le bruit ne recommença pas et je me calmai peu à peu ; je restais inquiet cependant, je me retournais souvent.

Le lendemain je m'enfermai de bonne heure, cherchant comment je pourrais parvenir à voir l'Invisible qui me visitait.

Et je l'ai vu. J'en ai failli mourir de terreur.

J'avais allumé toutes les bougies de ma cheminée et de mon lustre. La pièce était éclairée comme pour une fête. Mes deux lampes brûlaient sur ma table.

En face de moi, mon lit, un vieux lit de chêne à colonnes. A droite, ma cheminée. A gauche, ma porte que j'avais fermée au verrou. Derrière moi, une très grande armoire à glace. Je me regardai dedans. J'avais des yeux étranges et les pupilles très dilatées.

Puis je m'assis comme tous les jours.

Le bruit s'était produit, la veille et l'avant-veille, à neuf heures vingt-deux minutes. J'attendis. Quand arriva le moment précis, je perçus une indescriptible sensation, comme si un fluide, un fluide irrésistible eût pénétré en moi par toutes les parcelles de ma chair, noyant mon âme dans une épouvante atroce et bonne. Et le craquement se fit, tout contre moi.

Je me dressai en me tournant si vite que je faillis tomber. On y voyait comme en plein jour, et je ne me vis pas dans la glace ! Elle était vide, claire, pleine de lumière. Je n'étais pas dedans, et j'étais en face, cependant. Je la regardais avec des yeux affolés. Je n'osais pas aller vers elle, sentant bien qu'il était entre nous, lui, l'Invisible, et qu'il me cachait.

Oh ! comme j'eus peur ! Et voilà que je commençai à l'apercevoir dans une brume au fond du miroir, dans une brume comme à travers de l'eau ; et il me semblait que cette eau glissait de gauche à droite, lentement, me rendant plus précis de seconde en seconde. C'était comme la fin d'une éclipse. Ce qui me cachait n'avait pas de contours, mais une sorte de transparence opaque s'éclaircissant peu à peu.

Et je pus enfin me distinguer nettement, ainsi que je le fais tous les jours en me regardant.

Je l'avais donc vu !

Et je ne l'ai pas revu.

Mais je l'attends sans cesse, et je sens que ma tête s'égare dans cette attente.

Je reste pendant des heures, des nuits, des jours, des semaines, devant ma glace, pour l'attendre ! Il ne vient plus.

Il a compris que je l'avais vu. Mais moi je sens que je l'attendrai toujours, jusqu'à la mort, que je l'attendrai sans repos, devant cette glace, comme un chasseur à l'affût.

Et, dans cette glace, je commence à voir des images folles, des monstres, des cadavres hideux, toutes sortes de bêtes effroyables, d'être atroces, toutes les visions invraisemblables qui doivent hanter l'esprit des fous.

Voilà ma confession, mon cher docteur. Dites-moi ce que je dois faire ?

# UN CAS DE DIVORCE

L'avocat de M$^{me}$ Chassel prit la parole :
MONSIEUR LE PRÉSIDENT,
MESSIEURS LES JUGES,

La cause que je suis chargé de défendre devant vous relève bien plus de la médecine que de la justice, et constitue bien plus un cas pathologique qu'un cas de droit ordinaire. Les faits semblent simples au premier abord.

Un homme jeune, très riche, d'âme noble et exaltée, de cœur généreux, devient amoureux d'une jeune fille absolument belle, plus que belle, adorable, aussi gracieuse, aussi charmante, aussi bonne, aussi tendre que jolie, et il l'épouse.

Pendant quelque temps, il se conduit envers elle en époux plein de soins et de tendresse ; puis il la néglige, la rudoie, semble éprouver pour elle une répulsion insurmontable, un dégoût irrésistible. Un jour même il la frappe, non seulement sans aucune raison, mais même sans aucun prétexte.

Je ne vous ferai point le tableau, Messieurs, de ses allures bizarres, incompréhensibles pour tous. Je ne vous dépeindrai point la vie abominable de ces deux êtres, et la douleur horrible de cette jeune femme.

Il me suffira pour vous convaincre de vous lire quelques fragments d'un journal écrit chaque jour par ce pauvre homme, par ce pauvre fou. Car c'est en face d'un fou que nous nous trouvons, Messieurs, et le cas est d'autant plus curieux, d'autant plus intéressant qu'il rappelle en beaucoup de points la démence du malheureux prince, mort récemment, du roi bizarre qui régna platoniquement sur la Bavière. J'appellerai ce cas : la folie poétique.

Vous vous rappelez tout ce qu'on raconta de ce prince étrange. Il fit construire au milieu des paysages les plus magnifiques de son royaume de vrais châteaux de féerie. La réalité même de la beauté des choses et des lieux ne lui suffisant pas, il imagina, il créa, dans ces manoirs invraisemblables, des horizons factices, obtenus au moyen d'artifices de théâtre, des changements à vue, des forêts peintes, des empires de contes où les feuilles des arbres étaient des pierres précieuses. Il eut des Alpes et des glaciers, des steppes, des déserts de sable brûlés par le soleil ; et, la nuit, sous les rayons de la vraie lune, des lacs qu'éclairaient par-dessous de fantastiques lueurs électriques. Sur ces lacs nageaient des cygnes et glissaient des nacelles, tandis qu'un orchestre, composé des premiers exécutants du monde, enivrait de poésie l'âme du fou royal.

Cet homme était chaste, cet homme était vierge. Il n'aima jamais qu'un rêve, son rêve divin.

Un soir, il emmena dans sa barque une femme, jeune, belle, une grande artiste et il la pria de chanter. Elle chanta, grisée elle-même par l'admirable paysage, par la douceur tiède de l'air, par le parfum des fleurs et par l'extase de ce prince jeune et beau.

Elle chanta, comme chantent les femmes que touche l'amour, puis, éperdue, frémissante, elle tomba sur le cœur du roi en cherchant ses lèvres.

Mais il la jeta dans le lac, et prenant ses rames gagna la berge, sans s'inquiéter si on la sauvait.

Nous nous trouvons, messieurs les Juges, devant un cas tout à fait semblable. Je ne ferai plus que lire maintenant des passages du journal que nous avons surpris dans un tiroir du secrétaire.

. . . . . . . . . . . . . . . . . . . . . . . . . . . . . . . . . . . . . . . . .

Comme tout est triste et laid, toujours pareil, toujours odieux. Comme je rêve une terre plus belle, plus noble, plus variée. Comme elle serait pauvre l'imagination de leur Dieu, si leur Dieu existait ou s'il n'avait pas créé d'autres choses, ailleurs.

Toujours des bois, de petits bois, des fleuves qui ressemblent aux fleuves, des plaines qui ressemblent aux plaines ; tout est pareil et monotone. Et l'homme ! ... L'homme ? ... Quel horrible animal, méchant, orgueilleux et répugnant.

.............................................

Il faudrait aimer, aimer éperdument, sans voir ce qu'on aime. Car voir c'est comprendre, et comprendre c'est mépriser. Il faudrait aimer, en s'enivrant d'elle comme on se grise de vin, de façon à ne plus savoir ce qu'on boit. Et boire, boire, boire sans reprendre haleine, jour et nuit !

.............................................

J'ai trouvé, je crois. Elle a dans toute sa personne quelque chose d'idéal qui ne semble point de ce monde et qui donne des ailes à mon rêve. Ah ! mon rêve, comme il me montre les êtres différents de ce qu'ils sont. Elle est blonde, d'un blond léger, avec des cheveux qui ont des nuances inexprimables. Ses yeux sont bleus ! Seuls les yeux bleus emportent mon âme. Toute la femme, la femme qui existe au fond de mon cœur, m'apparaît dans l'œil, rien que dans l'œil.

Oh ! mystère ! Quel mystère ? L'œil... Tout l'univers est en lui, puisqu'il le voit, puisqu'il le reflète. Il contient l'univers, les choses et les êtres, les forêts et les océans, les hommes et les bêtes, les couchers de soleil, les étoiles, les arts, tout, tout, il voit, cueille et emporte tout ; et il y a plus encore en lui, il y a l'âme, il y a l'homme qui pense, l'homme qui aime, l'homme qui rit, l'homme qui souffre ! Oh ! regardez les yeux bleus des femmes, ceux qui sont profonds comme la mer, changeants comme le ciel, si doux, si doux, doux comme les brises, doux comme la musique, doux comme des baisers, et transparents, si clairs qu'on voit derrière, on voit l'âme bleue qui les colore, qui les anime, qui les divinise.

Oui, l'âme a la couleur du regard. L'âme bleue seule porte en elle du rêve, elle a pris son azur aux flots et à l'espace.

L'œil ! Songez à lui ! L'œil ! Il boit la vie apparente

pour en nourrir la pensée. Il boit le monde, la couleur, le mouvement, les livres, les tableaux, tout ce qui est beau et tout ce qui est laid, et il en fait des idées. Et quand il nous regarde, il nous donne la sensation d'un bonheur qui n'est point de cette terre. Il nous fait pressentir ce que nous ignorerons toujours ; il nous fait comprendre que les réalités de nos songes sont de méprisables ordures. . . . . .

. . . . . . . . . . . . . . . . . . . . . . . . . . . . . . . . . . . . . . . .

Je l'aime aussi pour sa démarche.

« Même quand l'oiseau marche, on sent qu'il a des ailes », a dit le poète.

Quand elle passe on sent qu'elle est d'une autre race que les femmes ordinaires, d'une race plus légère et plus divine.

. . . . . . . . . . . . . . . . . . . . . . . . . . . . . . . . . . . . . . . .

Je l'épouse demain... J'ai peur... j'ai peur de tant de choses. . . . . . . . . . . . . . . . . . . . . . . . . . . . . . . . . . .

. . . . . . . . . . . . . . . . . . . . . . . . . . . . . . . . . . . . . . . .

Deux bêtes, deux chiens, deux loups, deux renards, rôdent par les bois et se rencontrent. L'un est mâle, l'autre femelle. Ils s'accouplent. Ils s'accouplent par un instinct bestial qui les force à continuer la race, leur race, celle dont ils ont la forme, le poil, la taille, les mouvements et les habitudes.

Toutes les bêtes en font autant, sans savoir pourquoi !

Nous aussi. . . . . . . . . . . . . . . . . . . . . . . . . . . . . . . . .

. . . . . . . . . . . . . . . . . . . . . . . . . . . . . . . . . . . . . . . .

C'est cela que j'ai fait en l'épousant, j'ai obéi à cet imbécile emportement qui nous jette vers la femelle.

Elle est ma femme. Tant que je l'ai idéalement désirée elle fut pour moi le rêve irréalisable près de se réaliser. A partir de la seconde même où je l'ai tenue dans mes bras, elle ne fut plus que l'être dont la nature s'était servie pour tromper toutes mes espérances.

Les a-t-elle trompées ? — Non. Et pourtant je suis las d'elle, las à ne pouvoir la toucher, l'effleurer de ma main ou de mes lèvres sans que mon cœur soit soulevé par un dégoût inexprimable, non peut-être le dégoût d'elle mais un dégoût plus haut, plus grand, plus méprisant, le dégoût de l'étreinte amoureuse, si vile, qu'elle est devenue, pour tous les êtres affinés, un acte honteux qu'il faut cacher, dont on ne parle qu'à voix basse, en rougissant. . . . . .

. . . . . . . . . . . . . . . . . . . . . . . . . . . . . . . . . . . . . . . . . . . . . .

Je ne peux plus voir ma femme venir vers moi, m'appelant du sourire, du regard et des bras. Je ne peux plus. J'ai cru jadis que son baiser m'emporterait dans le ciel. Elle fut souffrante, un jour, d'une fièvre passagère, et je sentis dans son haleine le souffle léger, subtil, presque insaisissable des pourritures humaines. Je fus bouleversé !

Oh ! la chair, fumier séduisant et vivant, putréfaction qui marche, qui pense, qui parle, qui regarde et qui sourit, où les nourritures fermentent, et qui est rose, jolie, tentante, trompeuse comme l'âme. . . . . . . . . . . . . . . . . .

. . . . . . . . . . . . . . . . . . . . . . . . . . . . . . . . . . . . . . . . . . . . . .

Pourquoi les fleurs, seules, sentent-elles si bon, les grandes fleurs éclatantes ou pâles, dont les tons, les nuances font frémir mon cœur et troublent mes yeux ? Elles sont si belles, de structures si fines, si variées et si sensuelles, entrouvertes comme des organes, plus tentantes que des bouches et creuses avec des lèvres retournées, dentelées, charnues, poudrées d'une semence de vie qui, dans chacune, engendre un parfum différent.

Elles se reproduisent, elles, elles seules, au monde, sans souillure pour leur inviolable race, évaporant autour d'elles l'encens divin de leur amour, la sueur odorante de leurs caresses, l'essence de leurs corps incomparables, de leurs corps parés de toutes les grâces, de toutes les élégances, de toutes les formes, qui ont la coquetterie de toutes les colorations et la séduction enivrante de toutes les senteurs.

. . . . . . . . . . . . . . . . . . . . . . . . . . . . . . . . . . . . . . . . . . . . . .

*Fragments choisis, six mois plus tard.*

... J'aime les fleurs, non point comme des fleurs, mais comme des êtres matériels et délicieux ; je passe mes jours et mes nuits dans les serres où je les cache ainsi que les femmes des harems.

Qui connaît, hors moi, la douceur, l'affolement, l'extase frémissante, charnelle, idéale, surhumaine de ces tendresses ; et ces baisers sur la chair rose, sur la chair rouge, sur la chair blanche miraculeusement différente, délicate, rare, fine, onctueuse des admirables fleurs ?

J'ai des serres où personne ne pénètre que moi et celui qui en prend soin.

J'entre là comme on se glisse en un lieu de plaisir secret. Dans la haute galerie de verre, je passe d'abord entre deux foules de corolles fermées, entrouvertes ou épanouies qui vont en pente de la terre au toit. C'est le premier baiser qu'elles m'envoient.

Celles-là, ces fleurs-là, celles qui parent ce vestibule de mes passions mystérieuses sont mes servantes et non mes favorites.

Elles me saluent au passage de leur éclat changeant et de leurs fraîches exhalaisons. Elles sont mignonnes, coquettes, étagées sur huit rangs à droite et sur huit rangs à gauche, et si pressées qu'elles ont l'air de deux jardins venant jusqu'à mes pieds.

Mon cœur palpite, mon œil s'allume à les voir, mon sang s'agite dans mes veines, mon âme s'exalte, et mes mains déjà frémissent du désir de les toucher. Je passe. Trois portes sont fermées au fond de cette haute galerie. Je peux choisir. J'ai trois harems.

Mais j'entre le plus souvent chez les orchidées, mes endormeuses préférées. Leur chambre est basse, étouffante. L'air humide et chaud rend moite la peau, fait haleter la gorge et trembler les doigts. Elles viennent, ces filles étranges, de pays marécageux, brûlants et malsains. Elles sont attirantes comme des sirènes, mortelles comme des poisons, admirablement bizarres, énervantes, effrayantes. En voici qui semblent des papillons avec des ailes énormes, des pattes minces, des yeux ! Car elles sont des yeux ! Elles me regardent, elles me voient, êtres prodigieux, invraisemblables, fées, filles de la terre sacrée, de l'air impalpable et de la chaude lumière, cette mère du monde. Oui, elles ont des ailes, et des yeux et des nuances qu'aucun peintre n'imite, tous les charmes, toutes les grâces, toutes les formes qu'on peut rêver. Leur flanc se creuse, odorant et transparent, ouvert pour l'amour et plus tentant que toute la chair des femmes. Les inimaginables dessins de leurs petits corps jettent l'âme grisée dans le paradis des images et des voluptés idéales. Elles tremblent sur leurs tiges comme pour s'envoler. Vont-elles s'envoler, venir à moi ? Non, c'est mon cœur qui vole au-dessus d'elles comme un mâle mystique et torturé d'amour.

Aucune aile de bête ne peut les effleurer. Nous sommes seuls, elles et moi, dans la prison claire que je leur ai construite. Je les regarde et je les contemple, je les admire, je les adore l'une après l'autre.

Comme elles sont grasses, profondes, roses, d'un rose qui mouille les lèvres de désir ! Comme je les aime ! Le bord de leur calice est frisé, plus pâle que leur gorge et la corolle s'y cache, bouche mystérieuse, attirante, sucrée sous la langue, montrant et dérobant les organes délicats, admirables et sacrés de ces divines petites créatures qui sentent bon et ne parlent pas.

J'ai parfois pour une d'elles une passion qui dure autant que son existence, quelques jours, quelques soirs. On l'enlève alors de la galerie commune et on l'enferme dans un mignon cabinet de verre où murmure un fil d'eau contre un lit de gazon tropical venu des îles du grand Pacifique. Et je reste près d'elle, ardent, fiévreux et tourmenté, sachant sa mort si proche, et la regardant se faner, tandis que je possède, que j'aspire, que je bois, que je cueille sa courte vie d'une inexprimable caresse.

Lorsqu'il eut terminé la lecture de ces fragments, l'avocat reprit :

« La décence, messieurs les Juges, m'empêche de continuer à vous communiquer les singuliers aveux de ce fou honteusement idéaliste. Les quelques fragments que je viens de vous soumettre vous suffiront, je crois, pour apprécier ce cas de maladie mentale, moins rare qu'on ne croit dans notre époque de démence hystérique et de décadence corrompue.

» Je pense donc que ma cliente est plus autorisée qu'aucune autre femme à réclamer le divorce, dans la situation exceptionnelle où la place l'étrange égarement des sens de son mari. »

# LE HORLA

(Seconde version)

.......................................

*8 mai.* — Quelle journée admirable ! J'ai passé toute la matinée étendu sur l'herbe, devant ma maison, sous l'énorme platane qui la couvre, l'abrite et l'ombrage tout entière. J'aime ce pays, et j'aime y vivre parce que j'y ai mes racines, ces profondes et délicates racines, qui attachent un homme à la terre où sont nés et morts ses aïeux, qui l'attachent à ce qu'on pense et à ce qu'on mange, aux usages comme aux nourritures, aux locutions locales, aux intonations des paysans, aux odeurs du sol, des villages et de l'air lui-même.

J'aime ma maison où j'ai grandi. De mes fenêtres, je vois la Seine qui coule, le long de mon jardin, derrière la route, presque chez moi, la grande et large Seine, qui va de Rouen au Havre, couverte de bateaux qui passent.

A gauche, là-bas, Rouen, la vaste ville aux toits bleus, sous le peuple pointu des clochers gothiques. Ils sont innombrables, frêles ou larges, dominés par la flèche de fonte de la cathédrale, et pleins de cloches qui sonnent dans l'air bleu des belles matinées, jetant jusqu'à moi leur doux et lointain bourdonnement de fer, leur chant d'airain que la brise m'apporte, tantôt plus fort et tantôt plus affaibli, suivant qu'elle s'éveille ou s'assoupit.

Comme il faisait bon ce matin !

Vers onze heures, un long convoi de navires, traînés par un remorqueur, gros comme une mouche, et qui râlait de peine en vomissant une fumée épaisse, défila devant ma grille.

Après deux goélettes anglaises, dont le pavillon rouge ondoyait sur le ciel, venait un superbe trois-mâts brésilien, tout blanc, admirablement propre et luisant. Je le saluai, je ne sais pourquoi, tant ce navire me fit plaisir à voir.

*12 mai.* — J'ai un peu de fièvre depuis quelques jours ; je me sens souffrant, ou plutôt je me sens triste.

D'où viennent ces influences mystérieuses qui changent en découragement notre bonheur et notre confiance en détresse ? On dirait que l'air, l'air invisible est plein d'inconnaissables Puissances, dont nous subissons les voisinages mystérieux. Je m'éveille plein de gaieté, avec des envies de chanter dans la gorge. — Pourquoi ? — Je descends le long de l'eau ; et soudain, après une courte promenade, je rentre désolé, comme si quelque malheur m'attendait chez moi. — Pourquoi ? — Est-ce un frisson de froid qui, frôlant ma peau, a ébranlé mes nerfs et assombri mon âme ? Est-ce la forme des nuages, ou la couleur du jour, la couleur des choses, si variable, qui, passant par mes yeux, a troublé ma pensée ? Sait-on ? Tout ce qui nous entoure, tout ce que nous voyons sans le regarder, tout ce que nous frôlons sans le connaître, tout ce que nous touchons sans le palper, tout ce que nous rencontrons sans le distinguer, a sur nous, sur nos organes et, par eux, sur nos idées, sur notre cœur lui-même, des effets rapides, surprenants et inexplicables ?

Comme il est profond, ce mystère de l'Invisible ! Nous ne le pouvons sonder avec nos sens misérables, avec nos yeux qui ne savent apercevoir ni le trop petit, ni le trop grand, ni le trop près, ni le trop loin, ni les habitants d'une étoile, ni les habitants d'une goutte d'eau... avec nos oreilles qui nous trompent, car elles nous transmettent les vibrations de l'air en notes sonores. Elles sont des fées qui font ce miracle de changer en bruit ce mouvement et par cette métamorphose donnent naissance à la musique, qui rend chantante l'agitation muette de la nature... avec notre odorat, plus faible que celui du chien... avec notre goût, qui peut à peine discerner l'âge d'un vin !

Ah ! si nous avions d'autres organes qui accompliraient en notre faveur d'autres miracles, que de choses nous pourrions découvrir encore autour de nous !

*16 mai.* — Je suis malade, décidément ! Je me portais si bien le mois dernier ! J'ai la fièvre, une fièvre atroce, ou plutôt un énervement fiévreux, qui rend mon âme aussi souffrante que mon corps. J'ai sans cesse cette sensation affreuse d'un danger menaçant, cette appréhension d'un malheur qui vient ou de la mort qui approche, ce pressentiment qui est sans doute l'atteinte d'un mal encore inconnu, germant dans le sang et dans la chair.

*18 mai.* — Je viens d'aller consulter mon médecin, car je ne pouvais plus dormir. Il m'a trouvé le pouls rapide, l'œil dilaté, les nerfs vibrants, mais sans aucun symptôme alarmant. Je dois me soumettre aux douches et boire du bromure de potassium.

*25 mai.* — Aucun changement ! Mon état, vraiment, est bizarre. A mesure qu'approche le soir, une inquiétude incompréhensible m'envahit, comme si la nuit cachait pour moi une menace terrible. Je dîne vite, puis j'essaye de lire ; mais je ne comprends pas les mots ; je distingue à peine les lettres. Je marche alors dans mon salon de long en large, sous l'oppression d'une crainte confuse et irrésistible, la crainte du sommeil et la crainte du lit.

Vers dix heures, je monte dans ma chambre. A peine entré, je donne deux tours de clef, et je pousse les verrous ; j'ai peur... de quoi ? Je ne redoutais rien jusqu'ici... j'ouvre mes armoires, je regarde sous mon lit ; j'écoute... j'écoute... quoi ? ... Est-ce étrange qu'un simple malaise, un trouble de la circulation peut-être, l'irritation d'un filet nerveux, un peu de congestion, une toute petite perturbation dans le fonctionnement si imparfait et si délicat de notre machine vivante, puisse faire un mélancolique du plus joyeux des hommes, et un poltron du plus brave ? Puis, je me couche, et j'attends le sommeil comme on attendrait le bourreau. Je l'attends avec l'épouvante de sa venue, et mon cœur bat, et mes jambes frémissent ; et tout mon corps tressaille dans la chaleur des draps, jusqu'au moment où je tombe tout à coup dans le repos, comme on tomberait pour s'y noyer, dans un gouffre d'eau stagnante. Je ne le sens pas venir, comme autrefois, ce sommeil perfide, caché près de moi, qui me guette, qui va me saisir par la tête, me fermer les yeux, m'anéantir.

Je dors — longtemps — deux ou trois heures — puis un rêve — non — un cauchemar m'étreint. Je sens bien que je suis couché et que je dors... je le sens et je le sais... et je sens aussi que quelqu'un s'approche de moi, me regarde, me palpe, monte sur mon lit, s'agenouille sur ma poitrine, me prend le cou entre ses mains et serre... serre... de toute sa force pour m'étrangler.

Moi, je me débats, lié par cette impuissance atroce, qui nous paralyse dans les songes ; je veux crier, — je ne peux pas ; — je veux remuer, — je ne peux pas ; — j'essaye, avec des efforts affreux, en haletant, de me tourner, de rejeter cet être qui m'écrase et qui m'étouffe, — je ne peux pas !

Et soudain, je m'éveille, affolé, couvert de sueur. J'allume une bougie. Je suis seul.

Après cette crise, qui se renouvelle toutes les nuits, je dors enfin, avec calme, jusqu'à l'aurore.

*2 juin.* — Mon état s'est encore aggravé. Qu'ai-je donc ? Le bromure n'y fait rien ; les douches n'y font rien. Tantôt, pour fatiguer mon corps, si las pourtant, j'allai faire un tour dans la forêt de Roumare. Je crus d'abord que l'air frais, léger et doux, plein d'odeur d'herbes et de feuilles, me versait aux veines un sang nouveau, au cœur une énergie nouvelle. Je pris une grande avenue de chasse, puis je tournai vers La Bouille, par une allée étroite, entre deux armées d'arbres démesurément hauts qui mettaient un toit vert, épais, presque noir, entre le ciel et moi.

Un frisson me saisit soudain, non pas un frisson de froid, mais un étrange frisson d'angoisse.

Je hâtai le pas, inquiet d'être seul dans ce bois, apeuré sans raison, stupidement, par la profonde solitude. Tout à coup, il me sembla que j'étais suivi, qu'on marchait sur mes talons, tout près, à me toucher.

Je me retournai brusquement. J'étais seul. Je ne vis derrière moi que la droite et large allée, vide, haute, redoutablement vide ; et de l'autre côté elle s'étendait aussi à perte de vue, toute pareille, effrayante.

Je fermai les yeux. Pourquoi ? Et je me mis à tourner sur un talon, très vite, comme une toupie. Je faillis tomber ; je rouvris les yeux ; les arbres dansaient, la terre flottait ; je dus m'asseoir. Puis, ah ! je ne savais plus par où j'étais venu ! Bizarre idée ! Bizarre ! Bizarre idée ! Je ne savais plus du tout. Je partis par le côté qui se trouvait à ma droite, et je revins dans l'avenue qui m'avait amené au milieu de la forêt.

*3 juin.* — La nuit a été horrible. Je vais m'absenter pendant quelques semaines. Un petit voyage, sans doute, me remettra.

*2 juillet.* — Je rentre. Je suis guéri. J'ai fait d'ailleurs une excursion charmante. J'ai visité le mont Saint-Michel que je ne connaissais pas.

Quelle vision, quand on arrive, comme moi à Avranches, vers la fin du jour ! La ville est sur une colline ; et on me conduisit dans le jardin public, au bout de la cité. Je poussai un cri d'étonnement. Une baie démesurée s'étendait devant moi, à perte de vue, entre deux côtes écartées se perdant au loin dans les brumes ; et au milieu de cette immense baie jaune, sous un ciel d'or et de clarté, s'élevait sombre et pointu un mont étrange, au milieu des sables. Le soleil venait de disparaître, et sur l'horizon encore flamboyant se dessinait le profil de ce fantastique rocher qui porte sur son sommet un fantastique monument.

Dès l'aurore, j'allai vers lui. La mer était basse, comme la veille au soir, et je regardais se dresser devant moi, à mesure que j'approchais d'elle, la surprenante abbaye. Après plusieurs heures de marche, j'atteignis l'énorme bloc de pierres qui porte la petite cité dominée par la grande église. Ayant gravi la rue étroite et rapide, j'entrai dans la plus admirable demeure gothique construite pour Dieu sur la terre, vaste comme une ville, pleine de salles basses écrasées sous des voûtes et de hautes galeries que soutiennent de frêles colonnes. J'entrai dans ce gigantesque bijou de granit, aussi léger qu'une dentelle, couvert de tours, de sveltes clochetons, où montent des escaliers tordus, et qui lancent dans le ciel bleu des jours, dans le ciel noir des nuits, leurs têtes bizarres hérissées de chimères, de diables, de bêtes fantastiques, de fleurs monstrueuses, et reliés l'un à l'autre par de fines arches ouvragées.

Quand je fus sur le sommet, je dis au moine qui m'accompagnait : « Mon Père, comme vous devez être bien ici ! »

Il répondit : « Il y a beaucoup de vent, Monsieur » ; et nous nous mîmes à causer en regardant monter la mer, qui courait sur le sable et le couvrait d'une cuirasse d'acier.

Et le moine me conta des histoires, toutes les vieilles histoires de ce lieu, des légendes, toujours des légendes.

Une d'elles me frappa beaucoup. Les gens du pays, ceux du mont, prétendent qu'on entend parler la nuit dans les sables, puis qu'on entend bêler deux chèvres, l'une avec une voix forte, l'autre avec une voix faible. Les incrédules affirment que ce sont les cris des oiseaux de mer, qui ressemblent tantôt à des bêlements, et tantôt à des plaintes humaines ; mais les pêcheurs attardés jurent avoir rencontré, rôdant sur les dunes, entre deux marées, autour de la petite ville jetée ainsi loin du monde, un vieux berger, dont on ne voit jamais la tête couverte de son manteau, et qui conduit, en marchant devant eux, un bouc à figure d'homme et une chèvre à figure de femme, tous deux avec de longs cheveux blancs et parlant sans cesse, se querellant dans une langue inconnue, puis cessant soudain de crier pour bêler de toute leur force.

Je dis au moine : « Y croyez-vous ? »

Il murmura : « Je ne sais pas. »

Je repris : « S'il existait sur la terre d'autres êtres que nous, comment ne les connaîtrions-nous point depuis longtemps ; comment ne les auriez-vous pas vus, vous ? comment ne les aurais-je pas vus, moi ? »

Il répondit : « Est-ce que nous voyons la cent millième partie de ce qui existe ? Tenez, voici le vent, qui est la plus grande force de la nature, qui renverse les hommes, abat les édifices, déracine les arbres, soulève la mer en montagnes d'eau, détruit les falaises, et jette aux brisants les grands navires, le vent qui tue, qui siffle, qui gémit, qui mugit, — l'avez-vous vu, et pouvez-vous le voir ? Il existe, pourtant. »

Je me tus devant ce simple raisonnement. Cet homme était un sage ou peut-être un sot. Je ne l'aurais pu affirmer au juste ; mais je me tus. Ce qu'il disait là, je l'avais pensé souvent.

*3 juillet.* — J'ai mal dormi ; certes, il y a ici une influence fiévreuse, car mon cocher souffre du même mal que moi. En rentrant hier, j'avais remarqué sa pâleur singulière. Je lui demandai :

« Qu'est-ce que vous avez, Jean ?

— J'ai que je ne peux plus me reposer, Monsieur, ce sont mes nuits qui mangent mes jours. Depuis le départ de Monsieur, cela me tient comme un sort. »

Les autres domestiques vont bien cependant, mais j'ai grand-peur d'être repris, moi.

*4 juillet.* — Décidément, je suis repris. Mes cauchemars anciens reviennent. Cette nuit, j'ai senti quelqu'un accroupi sur moi, et qui, sa bouche sur la mienne, buvait ma vie entre mes lèvres. Oui, il la puisait dans ma gorge, comme aurait fait une sangsue. Puis il s'est levé, repu, et moi je me suis réveillé, tellement meurtri, brisé, anéanti, que je ne pouvais plus remuer. Si cela continue encore quelques jours, je repartirai certainement.

*5 juillet.* — Ai-je perdu la raison ? Ce qui s'est passé, ce que j'ai vu la nuit dernière est tellement étrange, que ma tête s'égare quand j'y songe !

Comme je le fais maintenant chaque soir, j'avais fermé ma porte à clef ; puis, ayant soif, je bus un demi-verre d'eau, et je remarquai par hasard que ma carafe était pleine jusqu'au bouchon de cristal.

Je me couchai ensuite et je tombai dans un de mes sommeils épouvantables, dont je fus tiré au bout de deux heures environ par une secousse plus affreuse encore.

Voir *Au fil du texte*, p. IX.

Figurez-vous un homme qui dort, qu'on assassine, et qui se réveille avec un couteau dans le poumon, et qui râle couvert de sang, et qui ne peut plus respirer, et qui va mourir, et qui ne comprend pas — voilà.

Ayant enfin reconquis ma raison, j'eus soif de nouveau ; j'allumai une bougie et j'allai vers la table où était posée ma carafe. Je la soulevai en la penchant sur mon verre ; rien ne coula. — Elle était vide ! Elle était vide complètement ! D'abord, je n'y compris rien ; puis, tout à coup, je ressentis une émotion si terrible, que je dus m'asseoir, ou plutôt, que je tombai sur une chaise ! puis, je me redressai d'un saut pour regarder autour de moi ! puis je me rassis, éperdu d'étonnement et de peur, devant le cristal transparent ! Je le contemplais avec des yeux fixes, cherchant à deviner. Mes mains tremblaient ! On avait donc bu cette eau ? Qui ? Moi ? moi, sans doute ? Ce ne pouvait être que moi ? Alors, j'étais somnambule, je vivais, sans le savoir, de cette double vie mystérieuse qui fait douter s'il y a deux êtres en nous, ou si un être étranger, inconnaissable et invisible, anime, par moments, quand notre âme est engourdie, notre corps captif qui obéit à cet autre, comme à nous-mêmes, plus qu'à nous-mêmes.

Ah ! qui comprendra mon angoisse abominable ? Qui comprendra l'émotion d'un homme, sain d'esprit, bien éveillé, plein de raison et qui regarde épouvanté, à travers le verre d'une carafe, un peu d'eau disparue pendant qu'il a dormi ! Et je restai là jusqu'au jour, sans oser regagner mon lit.

*6 juillet*. — Je deviens fou. On a encore bu toute ma carafe cette nuit ; — ou plutôt, je l'ai bue !

Mais, est-ce moi ? Est-ce moi ? Qui serait-ce ? Qui ? Oh ! mon Dieu ! Je deviens fou ? Qui me sauvera ?

*10 juillet*. — Je viens de faire des épreuves surprenantes.

Décidément, je suis fou ! Et pourtant.

Le 6 juillet, avant de me coucher, j'ai placé sur ma table du vin, du lait, de l'eau, du pain et des fraises.

On a bu — j'ai bu — toute l'eau, et un peu de lait. On n'a touché ni au vin, ni aux fraises.

Le 7 juillet, j'ai renouvelé la même épreuve, qui a donné le même résultat.

Le 8 juillet, j'ai supprimé l'eau et le lait. On n'a touché à rien.

Le 9 juillet enfin, j'ai remis sur ma table l'eau et le lait seulement, en ayant soin d'envelopper les carafes en des linges de mousseline blanche et de ficeler les bouchons. Puis, j'ai frotté mes lèvres, ma barbe, mes mains avec de la mine de plomb, et je me suis couché.

L'invincible sommeil m'a saisi, suivi bientôt de l'atroce réveil. Je n'avais point remué ; mes draps eux-mêmes ne portaient pas de taches. Je m'élançai vers ma table. Les linges enfermant les bouteilles étaient demeurés immaculés. Je déliai les cordons, en palpitant de crainte. On avait bu toute l'eau ! on avait bu tout le lait ! Ah ! mon Dieu !...

Je vais partir tout à l'heure pour Paris.

*12 juillet.* — Paris. J'avais donc perdu la tête les jours derniers ! J'ai dû être le jouet de mon imagination énervée, à moins que je ne sois vraiment somnambule, ou que j'ai subi une de ces influences constatées, mais inexplicables jusqu'ici, qu'on appelle suggestions. En tout cas, mon affolement touchait à la démence, et vingt-quatre heures de Paris ont suffi pour me remettre d'aplomb.

Hier, après des courses et des visites, qui m'ont fait passer dans l'âme de l'air nouveau et vivifiant, j'ai fini ma soirée au Théâtre-Français. On y jouait une pièce d'Alexandre Dumas fils ; et cet esprit alerte et puissant a achevé de me guérir. Certes, la solitude est dangereuse pour les intelligences qui travaillent. Il nous faut autour de nous, des hommes qui pensent et qui parlent. Quand nous sommes seuls longtemps, nous peuplons le vide de fantômes.

Je suis rentré à l'hôtel très gai, par les boulevards. Au coudoiement de la foule, je songeais, non sans ironie, à mes terreurs, à mes suppositions de l'autre semaine, car j'ai cru, oui, j'ai cru qu'un être invisible habitait sous mon toit. Comme notre tête est faible et s'effare, et s'égare vite, dès qu'un petit fait incompréhensible nous frappe !

Au lieu de conclure par ces simples mots : « Je ne comprends pas parce que la cause m'échappe », nous imaginons aussitôt des mystères effrayants et des puissances surnaturelles.

*14 juillet*. — Fête de la République. Je me suis promené par les rues. Les pétards et les drapeaux m'amusaient comme un enfant. C'est pourtant fort bête d'être joyeux, à date fixe, par décret du gouvernement. Le peuple est un troupeau imbécile, tantôt stupidement patient et tantôt férocement révolté. On lui dit : « Amuse-toi. » Il s'amuse. On lui dit : « Va te battre avec le voisin. » Il va se battre. On lui dit : « Vote pour l'Empereur. » Il vote pour l'Empereur. Puis, on lui dit : « Vote pour la République. » Et il vote pour la République.

Ceux qui le dirigent sont aussi sots ; mais au lieu d'obéir à des hommes, ils obéissent à des principes, lesquels ne peuvent être que niais, stériles et faux, par cela même qu'ils sont des principes, c'est-à-dire des idées réputées certaines et immuables, en ce monde où l'on n'est sûr de rien, puisque la lumière est une illusion, puisque le bruit est une illusion.

*16 juillet*. — J'ai vu hier des choses qui m'ont beaucoup troublé.

Je dînais chez ma cousine, Mme Sablé, dont le mari commande le 76e chasseurs à Limoges. Je me trouvais chez elle avec deux jeunes femmes, dont l'une a épousé un médecin, le docteur Parent, qui s'occupe beaucoup de maladies nerveuses et des manifestations extraordinaires auxquelles donnent lieu en ce moment les expériences sur l'hypnotisme et la suggestion.

Il nous raconta longtemps les résultats prodigieux obtenus par des savants anglais et par les médecins de l'école de Nancy.

Les faits qu'il avança me parurent tellement bizarres, que je me déclarai tout à fait incrédule.

« Nous sommes, affirmait-il, sur le point de découvrir un des plus importants secrets de la nature, je veux dire, un de ses plus importants secrets sur cette terre ; car elle en a certes d'autrement importants, là-bas, dans les étoiles. Depuis que l'homme pense, depuis qu'il sait dire et écrire sa pensée, il se sent frôlé par un mystère impénétrable pour ses sens grossiers et imparfaits, et il tâche de suppléer, par l'effort de son intelligence, à l'impuissance de ses organes. Quand cette intelligence demeurait encore à l'état rudimentaire, cette hantise des phénomènes invisibles a pris des formes banalement effrayantes. De là sont nées les croyances populaires au surnaturel, les légendes des esprits rôdeurs, des fées, des gnomes, des revenants, je dirai même la légende de Dieu, car nos conceptions de l'ouvrier-créateur, de quelque religion qu'elles nous viennent, sont bien les inventions les plus médiocres, les plus stupides, les plus inacceptables sorties du cerveau apeuré des créatures. Rien de plus vrai que cette parole de Voltaire : « Dieu a fait l'homme à son image, mais l'homme le lui a bien rendu. »

» Mais, depuis un peu plus d'un siècle, on semble pressentir quelque chose de nouveau. Mesmer et quelques autres nous ont mis sur une voie inattendue, et nous sommes arrivés vraiment, depuis quatre ou cinq ans surtout, à des résultats surprenants. »

Ma cousine, très incrédule aussi, souriait. Le docteur Parent lui dit :

« Voulez-vous que j'essaie de vous endormir, Madame ?

— Oui, je veux bien. »

Elle s'assit dans un fauteuil et il commença à la regarder fixement en la fascinant. Moi, je me sentis soudain un peu troublé, le cœur battant, la gorge serrée. Je voyais les yeux de Mme Sablé s'alourdir, sa bouche se crisper, sa poitrine haleter.

Au bout de dix minutes, elle dormait.

« Mettez-vous derrière elle », dit le médecin.

Et je m'assis derrière elle. Il lui plaça entre les mains une carte de visite en lui disant : « Ceci est un miroir ; que voyez-vous dedans ? »

Elle répondit :

« Je vois mon cousin.

— Que fait-il ?

— Il se tord la moustache.

— Et maintenant ?
— Il tire de sa poche une photographie.
— Quelle est cette photographie ?
— La sienne. »
C'était vrai ! Et cette photographie venait de m'être livrée, le soir même, à l'hôtel.
« Comment est-il sur ce portrait ?
— Il se tient debout avec son chapeau à la main. »
Donc elle voyait dans cette carte, dans ce carton blanc, comme elle eût vu dans une glace.
Les jeunes femmes, épouvantées, disaient : « Assez ! Assez ! Assez ! »
Mais le docteur ordonna : « Vous vous lèverez demain à huit heures ; puis vous irez trouver à son hôtel votre cousin, et vous le supplierez de vous prêter cinq mille francs que votre mari vous demande et qu'il vous réclamera à son prochain voyage. »
Puis il la réveilla.

En rentrant à l'hôtel, je songeais à cette curieuse séance et des doutes m'assaillirent, non point sur l'absolue, sur l'insoupçonnable bonne foi de ma cousine, que je connaissais comme une sœur, depuis l'enfance, mais sur une supercherie possible du docteur. Ne dissimulait-il pas dans sa main une glace qu'il montrait à la jeune femme endormie, en même temps que sa carte de visite ? Les prestidigitateurs de profession font des choses autrement singulières.
Je rentrai donc et je me couchai.
Or, ce matin, vers huit heures et demie, je fus réveillé par mon valet de chambre, qui me dit :
« C'est M^me^ Sablé qui demande à parler à Monsieur tout de suite. »
Je m'habillai à la hâte et je la reçus.
Elle s'assit fort troublée, les yeux baissés, et, sans lever son voile, elle me dit :
« Mon cher cousin, j'ai un gros service à vous demander.
— Lequel, ma cousine ?
— Cela me gêne beaucoup de vous le dire, et pourtant,

il le faut. J'ai besoin, absolument besoin, de cinq mille francs.

— Allons donc, vous ?

— Oui, moi, ou plutôt mon mari, qui me charge de les trouver. »

J'étais tellement stupéfait, que je balbutiai mes réponses. Je me demandais si vraiment elle ne s'était pas moquée de moi avec le docteur Parent, si ce n'était pas là une simple farce préparée d'avance et fort bien jouée.

Mais, en la regardant avec attention, tous mes doutes se dissipèrent. Elle tremblait d'angoisse, tant cette démarche lui était douloureuse, et je compris qu'elle avait la gorge pleine de sanglots.

Je la savais fort riche et je repris :

« Comment ! votre mari n'a pas cinq mille francs à sa disposition ! Voyons, réfléchissez. Etes-vous sûre qu'il vous a chargée de me les demander ? »

Elle hésita quelques secondes comme si elle eût fait un grand effort pour chercher dans son souvenir, puis elle répondit :

« Oui..., oui... j'en suis sûre.

— Il vous a écrit ? »

Elle hésita encore, réfléchissant. Je devinai le travail torturant de sa pensée. Elle ne savait pas. Elle savait seulement qu'elle devait m'emprunter cinq mille francs pour son mari. Donc elle osa mentir.

« Oui, il m'a écrit.

— Quand donc ? Vous ne m'avez parlé de rien, hier.

— J'ai reçu sa lettre ce matin.

— Pouvez-vous me la montrer ?

— Non... non... non... elle contenait des choses intimes... trop personnelles... je l'ai... je l'ai brûlée.

— Alors, c'est que votre mari fait des dettes. »

Elle hésita encore, puis murmura :

« Je ne sais pas. »

Je déclarai brusquement :

« C'est que je ne puis disposer de cinq mille francs en ce moment, ma chère cousine. »

Elle poussa une sorte de cri de souffrance.

« Oh ! oh ! je vous en prie, je vous en prie, trouvez-les... »

Elle s'exaltait, joignait les mains comme si elle m'eût prié ! J'entendais sa voix changer de ton ; elle pleurait et bégayait, harcelée, dominée par l'ordre irrésistible qu'elle avait reçu.

« Oh ! oh ! je vous en supplie... si vous saviez comme je souffre... il me les faut aujourd'hui. »

J'eus pitié d'elle.

« Vous les aurez tantôt, je vous le jure. »

Elle s'écria :

« Oh ! merci ! merci ! Que vous êtes bon. »

Je repris : « Vous rappelez-vous ce qui s'est passé hier chez vous ?

— Oui.

— Vous rappelez-vous que le docteur Parent vous a endormie ?

— Oui.

— Eh bien, il vous a ordonné de venir m'emprunter ce matin cinq mille francs, et vous obéissez en ce moment à cette suggestion. »

Elle réfléchit quelques secondes et répondit :

« Puisque c'est mon mari qui les demande. »

Pendant une heure, j'essayai de la convaincre, mais je n'y pus parvenir.

Quand elle fut partie, je courus chez le docteur. Il allait sortir ; et il m'écouta en souriant. Puis il dit :

« Croyez-vous maintenant ?

— Oui, il le faut bien.

— Allons chez votre parente. »

Elle sommeillait déjà sur une chaise longue, accablée de fatigue. Le médecin lui prit le pouls, la regarda quelque temps, une main levée vers ses yeux qu'elle ferma peu à peu sous l'effort insoutenable de cette puissance magnétique.

Quand elle fut endormie :

« Votre mari n'a plus besoin de cinq mille francs. Vous allez donc oublier que vous avez prié votre cousin de vous les prêter, et, s'il vous parle de cela, vous ne comprendrez pas. »

Puis il la réveilla. Je tirai de ma poche un portefeuille : « Voici, ma chère cousine, ce que vous m'avez demandé ce matin. »

Elle fut tellement surprise que je n'osai pas insister. J'essayai cependant de ranimer sa mémoire, mais elle nia avec force, crut que je me moquais d'elle, et faillit, à la fin, se fâcher.

.....................................................

Voilà ! je viens de rentrer ; et je n'ai pu déjeuner, tant cette expérience m'a bouleversé.

*19 juillet.* — Beaucoup de personnes à qui j'ai raconté cette aventure se sont moquées de moi. Je ne sais plus que penser. Le sage dit : Peut-être ?

*21 juillet.* — J'ai été dîner à Bougival, puis j'ai passé la soirée au bal des canotiers. Décidément, tout dépend des lieux et des milieux. Croire au surnaturel dans l'île de la Grenouillère, serait le comble de la folie... mais au sommet du mont Saint-Michel ? ... mais dans les Indes ? Nous subissons effroyablement l'influence de ce qui nous entoure. Je rentrerai chez moi la semaine prochaine.

*30 juillet.* — Je suis revenu dans ma maison depuis hier. Tout va bien.

*2 août.* — Rien de nouveau ; il fait un temps superbe. Je passe mes journées à regarder couler la Seine.

*4 août.* — Querelles parmi mes domestiques. Ils prétendent qu'on casse les verres, la nuit, dans les armoires. Le valet de chambre accuse la cuisinière, qui accuse la lingère, qui accuse les deux autres. Quel est le coupable ? Bien fin qui le dirait ?

*6 août.* — Cette fois, je ne suis pas fou. J'ai vu... j'ai vu... j'ai vu ! ... Je ne puis plus douter... j'ai vu ! ... J'ai encore froid jusque dans les ongles... j'ai encore peur jusque dans les moelles... j'ai vu ! ...

Je me promenais à deux heures, en plein soleil dans mon parterre de rosiers... dans l'allée des rosiers d'automne qui commencent à fleurir.

Comme je m'arrêtais à regarder un *géant des batailles*, qui portait trois fleurs magnifiques, je vis, je vis distinctement, tout près de moi, la tige d'une de ces roses se plier, comme si une main invisible l'eût tordue, puis se casser, comme si cette main l'eût cueillie ! Puis la fleur s'éleva, suivant la courbe qu'aurait décrite un bras en la portant vers une bouche, et elle resta suspendue dans l'air transparent, toute seule, immobile, effrayante tache rouge à trois pas de mes yeux.

Eperdu, je me jetai sur elle pour la saisir ! Je ne trouvai rien ; elle avait disparu. Alors je fus pris d'une colère furieuse contre moi-même : car il n'est pas permis à un homme raisonnable et sérieux d'avoir de pareilles hallucinations.

Mais était-ce bien une hallucination ? Je me retournai pour chercher la tige, et je la retrouvai immédiatement sur l'arbuste, fraîchement brisée, entre les deux autres roses demeurées à la branche.

Alors, je rentrai chez moi l'âme bouleversée ; car je suis certain, maintenant, certain comme de l'alternance des jours et des nuits, qu'il existe près de moi un être invisible, qui se nourrit de lait et d'eau, qui peut toucher aux choses, les prendre et les changer de place, doué par conséquent d'une nature matérielle, bien qu'imperceptible pour nos sens, et qui habite comme moi, sous mon toit...

*7 août.* — J'ai dormi tranquille. Il a bu l'eau de ma carafe, mais n'a point troublé mon sommeil.

Je me demande si je suis fou. En me promenant, tantôt au grand soleil, le long de la rivière, des doutes me sont venus sur ma raison, non point des doutes vagues comme j'en avais jusqu'ici, mais des doutes précis, absolus. J'ai vu des fous ; j'en ai connu qui restaient intelligents, lucides, clairvoyants même sur toutes les choses de la vie, sauf sur un point. Ils parlaient de tout avec clarté, avec souplesse, avec profondeur, et soudain leur pensée, touchant l'écueil de leur folie, s'y déchirait en pièces, s'éparpillait et sombrait dans cet océan effrayant et furieux, plein de vagues bondissantes, de brouillards, de bourrasques, qu'on nomme « la démence ».

Certes, je me croirais fou, absolument fou, si je n'étais conscient, si je ne connaissais parfaitement mon état, si je ne le sondais en l'analysant avec une complète lucidité. Je ne serais donc, en somme, qu'un halluciné raisonnant. Un trouble inconnu se serait produit dans mon cerveau, un de ces troubles qu'essayent de noter et de préciser aujourd'hui les physiologistes ; et ce trouble aurait déterminé dans mon esprit, dans l'ordre et la logique de mes idées, une crevasse profonde. Des phénomènes semblables ont lieu dans le rêve qui nous promène à travers les fantasmagories les plus invraisemblables, sans que nous en soyons surpris, parce que l'appareil vérificateur, parce que le sens du contrôle est endormi, tandis que la faculté imaginative veille et travaille. Ne se peut-il pas qu'une des imperceptibles touches du clavier cérébral se trouve paralysée chez moi ? Des hommes, à la suite d'accidents, perdent la mémoire des noms propres ou des verbes ou des chiffres, ou seulement des dates. Les localisations de toutes les parcelles de la pensée sont aujourd'hui prouvées. Or, quoi d'étonnant à ce que ma faculté de contrôler l'irréalité de certaines hallucinations, se trouve engourdie chez moi en ce moment.

Je songeais à tout cela en suivant le bord de l'eau. Le soleil couvrait de clarté la rivière, faisait la terre délicieuse, emplissait mon regard d'amour pour la vie, pour les hirondelles, dont l'agilité est une joie de mes yeux, pour les herbes de la rive, dont le frémissement est un bonheur de mes oreilles.

Peu à peu, cependant un malaise inexplicable me pénétrait. Une force, me semblait-il, une force occulte m'engourdissait, m'arrêtait, m'empêchait d'aller plus loin, me rappelait en arrière. J'éprouvais ce besoin douloureux de rentrer qui vous oppresse, quand on a laissé au logis un malade aimé, et que le pressentiment vous saisit d'une aggravation de son mal.

Donc, je revins malgré moi, sûr que j'allais trouver, dans ma maison, une mauvaise nouvelle, une lettre ou une dépêche. Il n'y avait rien ; et je demeurai plus surpris et plus inquiet que si j'avais eu de nouveau quelque vision fantastique.

*8 août.* — J'ai passé hier une affreuse soirée. Il ne se manifeste plus, mais je le sens près de moi, m'épiant, me regardant, me pénétrant, me dominant et plus redoutable, en se cachant ainsi, que s'il signalait par des phénomènes surnaturels sa présence invisible et constante.

J'ai dormi, pourtant.

*9 août.* — Rien, mais j'ai peur.

*10 août.* — Rien ; qu'arrivera-t-il demain ?

*11 août.* — Toujours rien ; je ne puis plus rester chez moi avec cette crainte et cette pensée entrées en mon âme ; je vais partir.

*12 août*, 10 heures du soir. — Tout le jour j'ai voulu m'en aller ; je n'ai pas pu. J'ai voulu accomplir cet acte de liberté si facile, si simple, — sortir — monter dans ma voiture pour gagner Rouen — je n'ai pas pu. Pourquoi ?

*13 août.* — Quand on est atteint par certaines maladies, tous les ressorts de l'être physique semblent brisés, toutes les énergies anéanties, tous les muscles relâchés, les os devenus mous comme la chair et la chair liquide comme de l'eau. J'éprouve cela dans mon être moral d'une façon étrange et désolante. Je n'ai plus aucune force, aucun courage, aucune domination sur moi, aucun pouvoir même de mettre en mouvement ma volonté. Je ne peux plus vouloir, mais quelqu'un veut pour moi, et j'obéis.

*14 août.* — Je suis perdu ! Quelqu'un possède mon âme et la gouverne ! quelqu'un ordonne tous mes actes, tous mes mouvements, toutes mes pensées. Je ne suis plus rien en moi, rien qu'un spectateur esclave et terrifié de toutes les choses que j'accomplis. Je désire sortir. Je ne peux pas. Il ne veut pas, et je reste, éperdu, tremblant, dans le fauteuil où il me tient assis. Je désire seulement me lever, me soulever, afin de me croire maître de moi. Je ne peux pas !

Je suis rivé à mon siège ; et mon siège adhère au sol, de telle sorte qu'aucune force ne nous soulèverait.

Puis, tout d'un coup, il faut, il faut, il faut que j'aille au fond de mon jardin cueillir des fraises et les manger. Et j'y vais. Je cueille des fraises et je les mange ! Oh ! mon Dieu ! Mon Dieu ! Mon Dieu ! Est-il un Dieu ? S'il en est un, délivrez-moi, sauvez-moi ! secourez-moi ! Pardon ! Pitié ! Grâce ! Sauvez-moi ! Oh ! quelle souffrance ! quelle torture ! quelle horreur !

*15 août.* — Certes, voilà comment était possédée et dominée ma pauvre cousine, quand elle est venue m'emprunter cinq mille francs. Elle subissait un vouloir étranger entré en elle, comme une autre âme, comme une autre âme parasite et dominatrice. Est-ce que le monde va finir ?

Mais celui qui me gouverne, quel est-il, cet invisible ? cet inconnaissable, ce rôdeur d'une race surnaturelle ?

Donc les Invisibles existent ! Alors, comment depuis l'origine du monde ne se sont-ils pas encore manifestés d'une façon précise comme ils le font pour moi ? Je n'ai jamais rien lu qui ressemble à ce qui s'est passé dans ma demeure. Oh ! si je pouvais la quitter, si je pouvais m'en aller, fuir et ne pas revenir. Je serais sauvé, mais je ne peux pas.

*16 août.* — J'ai pu m'échapper aujourd'hui pendant deux heures, comme un prisonnier qui trouve ouverte, par hasard, la porte de son cachot. J'ai senti que j'étais libre tout à coup et qu'il était loin. J'ai ordonné d'atteler bien vite et j'ai gagné Rouen. Oh ! quelle joie de pouvoir dire à un homme qui obéit : « Allez à Rouen ! »

Je me suis fait arrêter devant la bibliothèque et j'ai prié qu'on me prêtât le grand traité du docteur Hermann Herestauss sur les habitants inconnus du monde antique et moderne.

Puis, au moment de remonter dans mon coupé, j'ai voulu dire : « A la gare ! » et j'ai crié, — je n'ai pas dit, j'ai crié — d'une voix si forte que les passants se sont retournés : « A la maison », et je suis tombé, affolé d'angoisse, sur le coussin de ma voiture. Il m'avait retrouvé et repris.

*17 août*. — Ah ! Quelle nuit ! quelle nuit ! Et pourtant il me semble que je devrais me réjouir. Jusqu'à une heure du matin, j'ai lu ! Hermann Herestauss, docteur en philosophie et en théogonie, a écrit l'histoire et les manifestations de tous les êtres invisibles rôdant autour de l'homme ou rêvés par lui. Il décrit leurs origines, leur domaine, leur puissance. Mais aucun d'eux ne ressemble à celui qui me hante. On dirait que l'homme, depuis qu'il pense, a pressenti et redouté un être nouveau, plus fort que lui, son successeur en ce monde, et que, le sentant proche et ne pouvant prévoir la nature de ce maître, il a créé, dans sa terreur, tout le peuple fantastique des êtres occultes, fantômes vagues nés de la peur.

Donc, ayant lu jusqu'à une heure du matin, j'ai été m'asseoir ensuite auprès de ma fenêtre ouverte pour rafraîchir mon front et ma pensée au vent calme de l'obscurité.

Il faisait bon, il faisait tiède ! Comme j'aurais aimé cette nuit-là autrefois !

Pas de lune. Les étoiles avaient au fond du ciel noir des scintillements frémissants. Qui habite ces mondes ? Quelles formes, quels vivants, quels animaux, quelles plantes sont là-bas ? Ceux qui pensent dans ces univers lointains, que savent-ils plus que nous ? Que peuvent-ils plus que nous ? Que voient-ils que nous ne connaissons point ? Un d'eux, un jour ou l'autre, traversant l'espace, n'apparaîtra-t-il pas sur notre terre pour la conquérir, comme les Normands jadis traversaient la mer pour asservir les peuples plus faibles ?

Nous sommes si infirmes, si désarmés, si ignorants, si petits, nous autres, sur ce grain de boue qui tourne délayé dans une goutte d'eau.

Je m'assoupis en rêvant ainsi au vent frais du soir.

Or, ayant dormi environ quarante minutes, je rouvris les yeux sans faire un mouvement, réveillé par je ne sais quelle émotion confuse et bizarre. Je ne vis rien d'abord, puis, tout à coup, il me sembla qu'une page du livre resté ouvert sur ma table venait de tourner toute seule. Aucun souffle d'air n'était entré par ma fenêtre. Je fus surpris et j'attendis. Au bout de quarante minutes environ, je vis, je vis, oui, je vis de mes yeux une autre page se soulever et se rabattre sur la précédente, comme si un doigt l'eût feuilletée. Mon fauteuil était vide, semblait vide ; mais je compris qu'il était là, lui, assis à ma place, et qu'il lisait. D'un bond furieux, d'un bond de bête révoltée, qui va éventrer son dompteur, je traversai ma chambre pour le saisir, pour l'étreindre, pour le tuer ! ... Mais mon siège, avant que je l'eusse atteint, se renversa comme si on eût fui devant moi... ma table oscilla, ma lampe tomba et s'éteignit, et ma fenêtre se ferma comme si un malfaiteur surpris se fût élancé dans la nuit, en prenant à pleines mains les battants.

Donc, il s'était sauvé ; il avait eu peur, peur de moi, lui !

Alors... alors... demain... ou après... ou un jour quelconque, je pourrai donc le tenir sous mes poings, et l'écraser contre le sol ! Est-ce que les chiens, quelquefois, ne mordent point et n'étranglent pas leurs maîtres ?

*18 août*. — J'ai songé toute la journée. Oh ! oui, je vais lui obéir, suivre ses impulsions, accomplir toutes ses volontés, me faire humble, soumis, lâche. Il est le plus fort. Mais une heure viendra...

*19 août*. — Je sais... Je sais... je sais tout ! Je viens de lire ceci dans la *Revue du Monde Scientifique* : « Une nouvelle assez curieuse nous arrive de Rio de Janeiro. Une folie, une épidémie de folie, comparable aux démences contagieuses qui atteignirent les peuples d'Europe au Moyen Age, sévit en ce moment dans la province de San-Paulo. Les habitants éperdus quittent leurs maisons, désertent leurs villages, abandonnent leurs cultures, se disant poursuivis, possédés, gouvernés comme un bétail humain par des êtres invisibles bien que tangibles, des sortes de vampires qui se nourrissent de leur vie pendant leur sommeil, et qui boivent en outre de l'eau et du lait sans paraître toucher à aucun autre aliment.

» M. le professeur Don Pedro Henriquez, accompagné de plusieurs savants médecins, est parti pour la province de San-Paulo, afin d'étudier sur place les origines et les manifestations de cette surprenante folie, et de proposer à l'Empereur les mesures qui lui paraîtront les plus propres à rappeler à la raison ces populations en délire. »

Ah ! Ah ! je me rappelle, je me rappelle le beau trois-mâts brésilien qui passa sous mes fenêtres en remontant la Seine, le 8 mai dernier ! Je le trouvai si joli, si blanc, si gai ! L'Etre était dessus, venant de là-bas, où sa race était née ! Et il m'a vu ! Il a vu ma demeure blanche aussi ; et il a sauté du navire sur la rive. Oh ! mon Dieu !

A présent, je sais, je devine. Le règne de l'homme est fini.

Il est venu, Celui que redoutaient les premières terreurs des peuples naïfs, Celui qu'exorcisaient les prêtres inquiets, que les sorciers évoquaient par les nuits sombres, sans le voir apparaître encore, à qui les pressentiments des maîtres passagers du monde prêtèrent toutes les formes monstrueuses ou gracieuses des gnomes, des esprits, des génies, des fées, des farfadets. Après les grossières conceptions de l'épouvante primitive, des hommes plus perspicaces l'ont pressenti plus clairement. Mesmer l'avait deviné, et les médecins, depuis dix ans déjà, ont découvert, d'une façon précise, la nature de sa puissance avant qu'il l'eût exercée lui-même. Ils ont joué avec cette arme du Seigneur nouveau, la domination d'un mystérieux vouloir sur l'âme humaine devenue esclave. Ils ont appelé cela magnétisme, hypnotisme, suggestion... que sais-je ? Je les ai vus s'amuser comme des enfants imprudents avec cette horrible puissance ! Malheur à nous ! Malheur à l'homme ! Il est venu, le... le... comment se nomme-t-il... le... il semble qu'il me crie son nom, et je ne l'entends pas... le... oui... il le crie... J'écoute... Je ne peux pas... répète... le... Horla... J'ai entendu... le Horla... c'est lui... le Horla... il est venu ! ...

Ah ! le vautour a mangé la colombe ; le loup a mangé le mouton ; le lion a dévoré le buffle aux cornes aiguës ; l'homme a tué le lion avec la flèche, avec le glaive, avec la poudre ; mais le Horla va faire de l'homme ce que nous avons fait du cheval et du bœuf : sa chose, son serviteur et sa nourriture, par la seule puissance de sa volonté. Malheur à nous !

Pourtant, l'animal, quelquefois, se révolte et tue celui qui l'a dompté... moi aussi je veux... je pourrai... mais il faut le connaître, le toucher, le voir ! Les savants disent que l'œil de la bête, différent du nôtre, ne distingue point comme le nôtre... Et mon œil à moi ne peut distinguer le nouveau venu qui m'opprime.

Pourquoi ? Oh ! je me rappelle à présent les paroles du moine du mont Saint-Michel : « Est-ce que nous voyons la cent millième partie de ce qui existe ? Tenez, voici le vent qui est la plus grande force de la nature, qui renverse les hommes, abat les édifices, déracine les arbres, soulève la mer en montagnes d'eau, détruit les falaises et jette aux brisants les grands navires, le vent qui tue, qui siffle, qui gémit, qui mugit, l'avez-vous vu et pouvez-vous le voir : il existe pourtant ! »

Et je songeais encore : mon œil est si faible, si imparfait, qu'il ne distingue même point les corps durs, s'ils sont transparents comme le verre ! ... Qu'une glace sans tain barre mon chemin, il me jette dessus comme l'oiseau entré dans une chambre se casse la tête aux vitres. Mille choses en outre le trompent et l'égarent. Quoi d'étonnant, alors, à ce qu'il ne sache point apercevoir un corps nouveau que la lumière traverse ?

Un être nouveau ! pourquoi pas ? Il devait venir assurément ! pourquoi serions-nous les derniers ! Nous ne le distinguons point, ainsi que tous les autres créés avant nous ? C'est que sa nature est plus parfaite, son corps plus fin et plus fini que le nôtre, que le nôtre si faible, si maladroitement conçu, encombré d'organes toujours fatigués, toujours forcés comme des ressorts trop complexes, que le nôtre, qui vit comme une plante et comme une bête, en se nourrissant péniblement d'air, d'herbe et de viande, machine animale en proie aux maladies, aux déformations, aux putréfactions, poussive, mal réglée, naïve et bizarre, ingénieusement mal faite, œuvre grossière et délicate, ébauche d'être qui pourrait devenir intelligent et superbe.

Nous sommes quelques-uns, si peu sur ce monde, depuis l'huître jusqu'à l'homme. Pourquoi pas un de plus, une fois accomplie la période qui sépare les apparitions successives de toutes les espèces diverses ?

Pourquoi pas un de plus ? Pourquoi pas aussi d'autres arbres aux fleurs immenses, éclatantes et parfumant des régions entières ? Pourquoi pas d'autres éléments que le feu, l'air, la terre et l'eau ? — Ils sont quatre, rien que quatre, ces pères nourriciers des êtres ! Quelle pitié ! Pourquoi ne sont-ils pas quarante, quatre cents, quatre mille ! Comme tout est pauvre, mesquin, misérable ! avarement donné, sèchement inventé, lourdement fait ! Ah ! l'éléphant, l'hippopotame, que de grâce ! Le chameau, que d'élégance !

Mais direz-vous, le papillon ! une fleur qui vole ! J'en rêve un qui serait grand comme cent univers, avec des ailes dont je ne puis même exprimer la forme, la beauté, la couleur et le mouvement. Mais je le vois... il va d'étoile en étoile, les rafraîchissant et les embaumant au souffle harmonieux et léger de sa course ! ... Et les peuples de là-haut le regardent passer, extasiés et ravis ! ...

. . . . . . . . . . . . . . . . . . . . . . . . . . . . . . . . . . . . . . . . . . . . . . .

Qu'ai-je donc ? C'est lui, lui, le Horla, qui me hante, qui me fait penser ces folies ! Il est en moi, il devient mon âme ; je le tuerai !

*19 août*. — Je le tuerai. Je l'ai vu ! je me suis assis hier soir, à ma table ; et je fis semblant d'écrire avec une grande attention. Je savais bien qu'il viendrait rôder autour de moi, tout près, si près que je pourrais peut-être le toucher, le saisir ? Et alors ! ... alors, j'aurais la force des désespérés ; j'aurais mes mains, mes genoux, ma poitrine, mon front, mes dents pour l'étrangler, l'écraser, le mordre, le déchirer.

Et je le guettais avec tous mes organes surexcités.

J'avais allumé mes deux lampes et les huit bougies de ma cheminée, comme si j'eusse pu, dans cette clarté, le découvrir.

En face de moi, mon lit, un vieux lit de chêne à colonnes ; à droite, ma cheminée ; à gauche, ma porte fermée avec soin, après l'avoir laissée longtemps ouverte, afin de l'attirer ; derrière moi, une très haute armoire à glace, qui me servait chaque jour pour me raser, pour m'habiller, et où j'avais coutume de me regarder, de la tête aux pieds, chaque fois que je passais devant

Donc, je faisais semblant d'écrire, pour le tromper, car il m'épiait lui aussi ; et soudain, je sentis, je fus certain qu'il lisait par-dessus mon épaule, qu'il était là, frôlant mon oreille.

Je me dressai, les mains tendues, en me tournant si vite

que je faillis tomber. Eh bien ? ... on y voyait comme en plein jour, et je ne me vis pas dans ma glace ! ... Elle était vide, claire, profonde, pleine de lumière ! Mon image n'était pas dedans... et j'étais en face, moi ! Je voyais le grand verre limpide du haut en bas. Et je regardais cela avec des yeux affolés ; et je n'osais plus avancer, je n'osais plus faire un mouvement, sentant bien pourtant qu'il était là, mais qu'il m'échapperait encore, lui dont le corps imperceptible avait dévoré mon reflet.

Comme j'eus peur ! Puis voilà que tout à coup je commençai à m'apercevoir dans une brume, au fond du miroir, dans une brume comme à travers une nappe d'eau ; et il me semblait que cette eau glissait de gauche à droite, lentement, rendant plus précise mon image, de seconde en seconde. C'était comme la fin d'une éclipse. Ce qui me cachait ne paraissait point posséder de contours nettement arrêtés, mais une sorte de transparence opaque, s'éclaircissant peu à peu.

Je pus enfin me distinguer complètement, ainsi que je le fais chaque jour en me regardant.

Je l'avais vu ! L'épouvante m'en est restée, qui me fait encore frissonner.

*20 août*. — Le tuer, comment ? puisque je ne peux l'atteindre ? Le poison ? mais il me verrait le mêler à l'eau ; et nos poisons, d'ailleurs, auraient-ils un effet sur son corps imperceptible ? Non... non... sans aucun doute... Alors ? ... alors ? ...

*21 août*. — J'ai fait venir un serrurier de Rouen, et lui ai commandé pour ma chambre des persiennes de fer, comme en ont, à Paris, certains hôtels particuliers, au rez-de-chaussée, par crainte des voleurs. Il me fera, en outre, une porte pareille. Je me suis donné pour un poltron, mais je m'en moque ! ...

. . . . . . . . . . . . . . . . . . . . . . . . . . . . . . . . . . . . . . . .

*10 septembre*. — Rouen, hôtel Continental. C'est fait... c'est fait... mais est-il mort ? J'ai l'âme bouleversée de ce que j'ai vu.

Hier donc, le serrurier ayant posé ma persienne et ma

porte de fer, j'ai laissé tout ouvert jusqu'à minuit, bien qu'il commençât à faire froid.

Tout à coup, j'ai senti qu'il était là, et une joie, une joie folle m'a saisi. Je me suis levé lentement, et j'ai marché à droite, à gauche, longtemps pour qu'il ne devinât rien ; puis j'ai ôté mes bottines et mis mes savates avec négligence ; puis j'ai fermé ma persienne de fer, et revenant à pas tranquilles vers la porte, j'ai fermé la porte aussi à double tour. Retournant alors vers la fenêtre, je la fixai par un cadenas, dont je mis la clef dans ma poche.

Tout à coup, je compris qu'il s'agitait autour de moi, qu'il avait peur à son tour, qu'il m'ordonnait de lui ouvrir. Je faillis céder ; je ne cédai pas, mais m'adossant à la porte, je l'entrebâillai, tout juste assez pour passer, moi, à reculons ; et comme je suis très grand ma tête touchait au linteau. J'étais sûr qu'il n'avait pu s'échapper et je l'enfermai, tout seul, tout seul. Quelle joie ! Je le tenais ! Alors, je descendis, en courant ; je pris dans mon salon, sous ma chambre, mes deux lampes et je renversai toute l'huile sur le tapis, sur les meubles, partout ; puis j'y mis le feu, et je me sauvai, après avoir bien refermé, à double tour, la grande porte d'entrée.

Et j'allai me cacher au fond de mon jardin, dans un massif de lauriers. Comme ce fut long ! comme ce fut long ! Tout était noir, muet, immobile ; pas un souffle d'air, pas une étoile, des montagnes de nuages qu'on ne voyait point, mais qui pesaient sur mon âme si lourds, si lourds.

Je regardais ma maison, et j'attendais. Comme ce fut long ! Je croyais déjà que le feu s'était éteint tout seul, ou qu'il l'avait éteint, Lui, quand une des fenêtres d'en bas creva sous la poussée de l'incendie, et une flamme, une grande flamme rouge et jaune, longue, molle, caressante, monta le long du mur blanc et le baisa jusqu'au toit. Une lueur courut dans les arbres, dans les branches, dans les feuilles, et un frisson, un frisson de peur aussi. Les oiseaux se réveillaient ; un chien se mit à hurler ; il me sembla que le jour se levait ! Deux autres fenêtres éclatèrent aussitôt, et je vis que tout le bas de ma demeure n'était plus qu'un effrayant brasier. Mais un cri, un cri horrible, suraigu, déchirant, un cri de femme passa dans la nuit, et deux mansardes s'ouvrirent ! J'avais oublié mes domestiques ! Je vis leurs faces affolées, et leurs bras qui s'agitaient ! ...

Alors, éperdu d'horreur, je me mis à courir vers le village en hurlant : « Au secours ! au secours ! au feu ! au feu ! » Je rencontrai des gens qui s'en venaient déjà et je retournai avec eux, pour voir !

La maison, maintenant, n'était plus qu'un bûcher horrible et magnifique, un bûcher monstrueux, éclairant toute la terre, un bûcher où brûlaient des hommes, et où il brûlait aussi, Lui, Lui, mon prisonnier, l'Etre nouveau, le nouveau maître, le Horla !

Soudain le toit tout entier s'engloutit entre les murs, et un volcan de flammes jaillit jusqu'au ciel. Par toutes les fenêtres ouvertes sur la fournaise, je voyais la cuve de feu, et je pensais qu'il était là, dans ce four, mort...

— Mort ? Peut-être ? ... Son corps ? son corps que le jour traversait n'était-il pas indestructible par les moyens qui tuent les nôtres ?

S'il n'était pas mort ? ... seul peut-être le temps a prise sur l'Etre Invisible et Redoutable. Pourquoi ce corps transparent, ce corps inconnaissable, ce corps d'Esprit, s'il devait craindre, lui aussi, les maux, les blessures, les infirmités, la destruction prématurée ?

La destruction prématurée ? toute l'épouvante humaine vient d'elle ! Après l'homme, le Horla. — Après celui qui peut mourir tous les jours, à toutes les heures, à toutes les minutes, par tous les accidents, est venu celui qui ne doit mourir qu'à son jour, à son heure, à sa minute, parce qu'il a touché la limite de son existence !

Non... non... sans aucun doute, sans aucun doute... il n'est pas mort... Alors... alors... il va donc falloir que je me tue, moi ! ...

. . . . . . . . . . . . . . . . . . . . . . . . . . . . . . . . . . . . . . . . . . .

# LA NUIT

## CAUCHEMAR

J'aime la nuit avec passion. Je l'aime comme on aime son pays ou sa maîtresse, d'un amour instinctif, profond, invincible. Je l'aime avec tous mes sens, avec mes yeux qui la voient, avec mon odorat qui la respire, avec mes oreilles qui en écoutent le silence, avec toute ma chair que les ténèbres caressent. Les alouettes chantent dans le soleil, dans l'air bleu, dans l'air chaud, dans l'air léger des matinées claires. Le hibou fuit dans la nuit, tache noire qui passe à travers l'espace noir, et, réjoui, grisé par la noire immensité, il pousse son cri vibrant et sinistre.

Le jour me fatigue et m'ennuie. Il est brutal et bruyant. Je me lève avec peine, je m'habille avec lassitude, je sors avec regret, et chaque pas, chaque mouvement, chaque geste, chaque parole, chaque pensée me fatigue comme si je soulevais un écrasant fardeau.

Mais quand le soleil baisse, une joie confuse, une joie de tout mon corps m'envahit. Je m'éveille, je m'anime. A mesure que l'ombre grandit, je me sens tout autre, plus jeune, plus fort, plus alerte, plus heureux. Je la regarde s'épaissir, la grande ombre douce tombée du ciel : elle noie la ville, comme une onde insaisissable et impénétrable, elle cache, efface, détruit les couleurs, les formes, étreint les maisons, les êtres, les monuments de son imperceptible toucher.

Alors j'ai envie de crier de plaisir comme les chouettes, de courir sur les toits comme les chats ; et un impétueux, un invincible désir d'aimer s'allume dans mes veines.

Je vais, je marche, tantôt dans les faubourgs assombris, tantôt dans les bois voisins de Paris, où j'entends rôder mes sœurs les bêtes et mes frères les braconniers.

Ce qu'on aime avec violence finit toujours par vous tuer. Mais comment expliquer ce qui m'arrive ? Comment même faire comprendre que je puisse le raconter ? Je ne sais pas, je ne sais plus, je sais seulement que cela est. — Voilà.

Donc hier — était-ce hier ? — oui, sans doute, à moins que ce ne soit auparavant, un autre jour, un autre mois, une autre année, — je ne sais pas. Ce doit être hier pourtant, puisque le jour ne s'est plus levé, puisque le soleil n'a pas reparu. Mais depuis quand la nuit dure-t-elle ? Depuis quand ? ... Qui le dira ? qui le saura jamais ?

Donc, hier, je sortis comme je fais tous les soirs, après mon dîner. Il faisait très beau, très doux, très chaud. En descendant vers les boulevards, je regardais au-dessus de ma tête le fleuve noir et plein d'étoiles découpé dans le ciel par les toits de la rue qui tournait et faisait onduler comme une vraie rivière ce ruisseau roulant des astres.

Tout était clair dans l'air léger, depuis les planètes jusqu'aux becs de gaz. Tant de feux brillaient là-haut et dans la ville que les ténèbres en semblaient lumineuses. Les nuits luisantes sont plus joyeuses que les grands jours de soleil.

Sur le boulevard, les cafés flamboyaient ; on riait, on passait, on buvait. J'entrai au théâtre, quelques instants ; dans quel théâtre ? je ne sais plus. Il y faisait si clair que cela m'attrista et je ressortis le cœur un peu assombri par ce choc de lumière brutale sur les ors du balcon, par le scintillement factice du lustre énorme de cristal, par la barrière du feu de la rampe, par la mélancolie de cette clarté fausse et crue. Je gagnai les Champs-Elysées où les cafés-concerts semblaient des foyers d'incendie dans les feuillages. Les marronniers frottés de lumière jaune avaient l'air peints, un air d'arbres phosphorescents. Et les globes électriques, pareils à des lunes éclatantes et pâles, à des œufs de lune tombés du ciel, à des perles monstrueuses, vivantes, faisaient pâlir sous leur clarté nacrée, mystérieuse et royale les filets de gaz, de vilain gaz sale, et les guirlandes de verres de couleur.

Je m'arrêtai sous l'Arc de triomphe pour regarder l'avenue, la longue et admirable avenue étoilée, allant vers Paris entre deux lignes de feux, et les astres ! Les astres là-haut, les astres inconnus jetés au hasard dans l'immensité où ils dessinent ces figures bizarres, qui font tant rêver, qui font tant songer.

J'entrai dans le Bois de Boulogne et j'y restai longtemps, longtemps. Un frisson singulier m'avait saisi, une émotion imprévue et puissante, une exaltation de ma pensée qui touchait à la folie.

Je marchai longtemps, longtemps. Puis je revins.

Quelle heure était-il quand je repassai sous l'Arc de triomphe ? Je ne sais pas. La ville s'endormait, et des nuages, de gros nuages noirs s'étendaient lentement sur le ciel.

Pour la première fois je sentis qu'il allait arriver quelque chose d'étrange, de nouveau. Il me sembla qu'il faisait froid, que l'air s'épaississait, que la nuit, que ma nuit bien-aimée, devenait lourde sur mon cœur. L'avenue était déserte, maintenant. Seuls, deux sergents de ville se promenaient auprès de la station des fiacres, et, sur la chaussée à peine éclairée par les becs de gaz qui paraissaient mourants, une file de voitures de légumes allait aux Halles. Elles allaient lentement, chargées de carottes, de navets, et de choux. Les conducteurs dormaient, invisibles, les chevaux marchaient d'un pas égal, suivant la voiture précédente, sans bruit, sur le pavé de bois. Devant chaque lumière du trottoir, les carottes s'éclairaient en rouge, les navets s'éclairaient en blanc, les choux s'éclairaient en vert ; et elles passaient l'une derrière l'autre, ces voitures rouges, d'un rouge de feu, blanches d'un blanc d'argent, vertes d'un vert d'émeraude. Je les suivis, puis je tournai par la rue Royale et revins sur les boulevards. Plus personne, plus de cafés éclairés, quelques attardés seulement qui se hâtaient. Je n'avais jamais vu Paris aussi mort, aussi désert. Je tirai ma montre. Il était deux heures.

Une force me poussait, un besoin de marcher. J'allai donc jusqu'à la Bastille. Là, je m'aperçus que je n'avais jamais vu une nuit si sombre, car je ne distinguais pas même la colonne de Juillet, dont le génie d'or était perdu dans l'impénétrable obscurité. Une voûte de nuage, épaisse comme l'immensité, avait noyé les étoiles, et semblait s'abaisser sur la terre pour l'anéantir.

Je revins. Il n'y avait plus personne autour de moi. Place du Château-d'Eau, pourtant, un ivrogne faillit me heurter, puis il disparut. J'entendis quelque temps son pas inégal et sonore. J'allais. A la hauteur du faubourg Montmartre un fiacre passa, descendant vers la Seine. Je l'appelai. Le cocher ne répondit pas. Une femme rôdait près de la rue Drouot : « Monsieur, écoutez donc. »

Je hâtai le pas pour éviter sa main tendue. Puis plus rien. Devant le Vaudeville, un chiffonnier fouillait le ruisseau. Sa petite lanterne flottait au ras du sol. Je lui demandai : « Quelle heure est-il, mon brave ? »

Il grogna : « Est-ce que je sais ! J'ai pas de montre. »

Alors je m'aperçus tout à coup que les becs de gaz étaient éteints. Je sais qu'on les supprime de bonne heure, avant le jour, en cette saison, par économie ; mais le jour était encore loin, si loin de paraître !

« Allons aux Halles, pensai-je, là au moins je trouverai la vie. »

Je me mis en route, mais je n'y voyais même pas pour me conduire. J'avançais lentement, comme on fait dans un bois, reconnaissant les rues en les comptant.

Devant le Crédit Lyonnais, un chien grogna. Je tournai par la rue de Grammont, je me perdis ; j'errai, puis je reconnus la Bourse aux grilles de fer qui l'entourent. Paris entier dormait, d'un sommeil profond, effrayant. Au loin pourtant un fiacre roulait, un seul fiacre, celui peut-être qui avait passé devant moi tout à l'heure. Je cherchais à le joindre, allant vers le bruit de ses roues, à travers les rues solitaires et noires, noires, noires comme la mort.

Je me perdis encore. Où étais-je ? Quelle folie d'éteindre si tôt le gaz ! Pas un passant, pas un attardé, pas un rôdeur, pas un miaulement de chat amoureux. Rien.

Oú donc étaient les sergents de ville ? Je me dis : « Je vais crier, ils viendront. » Je criai. Personne ne me répondit.

J'appelai plus fort. Ma voix s'envola, sans écho, faible, étouffée, écrasée par la nuit, par cette nuit impénétrable.

Je hurlai : « Au secours ! au secours ! au secours ! »

Mon appel désespéré resta sans réponse. Quelle heure était-il donc ? Je tirai ma montre, mais je n'avais point d'allumettes. J'écoutai le tic-tac léger de la petite mécanique avec une joie inconnue et bizarre. Elle semblait vivre. J'étais moins seul. Quel mystère ! Je me remis en marche comme un aveugle, en tâtant les murs de ma canne, et je levais à tout moment les yeux vers le ciel, espérant que le jour allait enfin paraître ; mais l'espace était noir, tout noir, plus profondément noir que la ville.

Quelle heure pouvait-il être ? Je marchais, me semblait-il, depuis un temps infini, car mes jambes fléchissaient sous moi, ma poitrine haletait, et je souffrais de la faim horriblement.

Je me décidai à sonner à la première porte cochère. Je tirai le bouton de cuivre, et le timbre tinta dans la maison sonore ; il tinta étrangement comme si ce bruit vibrant eût été seul dans cette maison.

J'attendis, on ne répondit pas, on n'ouvrit point la porte. Je sonnai de nouveau ; j'attendis encore, — rien !

J'eus peur ! Je courus à la demeure suivante, et vingt fois de suite je fis résonner la sonnerie dans le couloir obscur où devait dormir le concierge. Mais il ne s'éveilla pas, — et j'allai plus loin, tirant de toutes mes forces les anneaux ou les boutons, heurtant de mes pieds, de ma canne et de mes mains les portes obstinément closes.

Et tout à coup, je m'aperçus que j'arrivais aux Halles. Les Halles étaient désertes, sans un bruit, sans un mouvement, sans une voiture, sans un homme, sans une botte de légumes ou de fleurs. — Elles étaient vides, immobiles, abandonnées, mortes !

Une épouvante me saisit, — horrible. Que se passait-il ? Oh ! mon Dieu ! que se passait-il ?

Je repartis. Mais l'heure ? l'heure ? qui me dirait l'heure ? Aucune horloge ne sonnait dans les clochers ou dans les monuments. Je pensai : « Je vais ouvrir le verre de ma montre et tâter l'aiguille avec mes doigts. » Je tirai ma montre... elle ne battait plus... elle était arrêtée. Plus rien, plus rien, plus un frisson dans la ville, pas une lueur, pas un frôlement de son dans l'air. Rien ! plus rien ! plus même le roulement lointain du fiacre, — plus rien !

J'étais aux quais, et une fraîcheur glaciale montait de la rivière.

La Seine coulait-elle encore ?

Je voulus savoir, je trouvai l'escalier, je descendis… Je n'entendais pas le courant bouillonner sous les arches du pont… Des marches encore… puis du sable… de la vase… puis de l'eau… j'y trempai mon bras… elle coulait… elle coulait… froide… froide… froide… presque gelée… presque tarie… presque morte.

Et je sentais bien que je n'aurais plus jamais la force de remonter… et que j'allais mourir là… moi aussi, de faim — de fatigue — et de froid.

# L'HOMME DE MARS

J'étais en train de travailler quand mon domestique annonça : « Monsieur, c'est un monsieur qui demande à parler à Monsieur.

— Faites entrer. »

J'aperçus un petit homme qui saluait. Il avait l'air d'un chétif maître d'études à lunettes, dont le corps fluet n'adhérait de nulle part à ses vêtements trop larges.

Il balbutia :

« Je vous demande pardon, Monsieur, bien pardon de vous déranger. »

Je dis :

« Asseyez-vous, Monsieur. »

Il s'assit et reprit :

« Mon Dieu, Monsieur, je suis très troublé par la démarche que j'entreprends. Mais il fallait absolument que je visse quelqu'un, il n'y avait que vous... que vous... Enfin, j'ai pris du courage... mais vraiment... je n'ose plus.

— Osez donc, Monsieur.

— Voilà, Monsieur, c'est que dès que j'aurai commencé à parler, vous allez me prendre pour un fou.

— Mon Dieu, Monsieur, cela dépend de ce que vous allez me dire.

— Justement, Monsieur, ce que je vais vous dire est

bizarre. Mais je vous prie de considérer que je ne suis pas fou, précisément par cela même que je constate l'étrangeté de ma confidence.

— Eh bien, Monsieur, allez.

— Non, Monsieur, je ne suis pas fou, mais j'ai l'air fou des hommes qui ont réfléchi plus que les autres et qui ont franchi un peu, si peu, les barrières de la pensée moyenne. Songez donc, Monsieur, que personne ne pense à rien dans ce monde. Chacun s'occupe de *ses* affaires, de *sa* fortune, de *ses* plaisirs, de *sa* vie enfin, ou de petites bêtises amusantes comme le théâtre, la peinture, la musique ou de la politique, la plus vaste des niaiseries, ou de questions industrielles. Mais qui donc pense ? Qui donc ? Personne ! Oh ! je m'emballe ! Pardon. Je retourne à mes moutons.

» Voilà cinq ans que je viens ici, Monsieur. Vous ne me connaissez pas, mais moi je vous connais très bien... Je ne me mêle jamais au public de votre plage ou de votre casino. Je vis sur les falaises, j'adore positivement ces falaises d'Etretat. Je n'en connais pas de plus belles, de plus saines. Je veux dire saines pour l'esprit. C'est une admirable route entre le ciel et la mer, une route de gazon, qui court sur cette grande muraille, au bord de la terre, au-dessus de l'Océan. Mes meilleurs jours sont ceux que j'ai passés, étendu sur une pente d'herbes, en plein soleil, à cent mètres au-dessus des vagues, à rêver. Me comprenez-vous ?

— Oui, Monsieur, parfaitement.

— Maintenant, voulez-vous me permettre de vous poser une question ?

— Posez, Monsieur.

— Croyez-vous que les autres planètes soient habitées ? »

Je répondis sans hésiter et sans paraître surpris :

« Mais, certainement, je le crois. »

Il fut ému d'une joie véhémente, se leva, se rassit, saisi par l'envie évidente de me serrer dans ses bras, et il s'écria :

« Ah ! ah ! quelle chance ! quel bonheur ! je respire ! Mais comment ai-je pu douter de vous ? Un homme ne serait pas intelligent s'il ne croyait pas les mondes habités. Il faut être un sot, un crétin, un idiot, une brute, pour supposer que les milliards d'univers brillent et tournent uniquement pour amuser et étonner l'homme, cet insecte imbécile, pour ne pas comprendre que la terre n'est rien qu'une poussière invisible dans la poussière des mondes, que notre système tout entier n'est rien que quelques molécules de vie sidérale qui mourront bientôt. Regardez la voie lactée, ce fleuve d'étoiles, et songez que ce n'est rien qu'une tache dans l'étendue qui est *infinie*. Songez à cela seulement dix minutes et vous comprendrez pourquoi nous ne savons rien, nous ne devinons rien, nous ne comprenons rien. Nous ne connaissons qu'un point, nous ne savons rien au delà, rien au dehors, rien de nulle part, et nous croyons, et nous affirmons. Ah ! ah ! ah !!! S'il nous était révélé tout à coup, ce secret de la grande vie ultra-terrestre, quel étonnement ! Mais non... mais non... je suis une bête à mon tour, nous ne le comprendrions pas, car notre esprit n'est fait que pour comprendre les choses de cette terre ; il ne peut s'étendre plus loin, il est limité, comme notre vie, enchaîné sur cette petite boule, qui nous porte, et il juge tout par comparaison. Voyez donc, Monsieur, comme tout le monde est sot, étroit et persuadé de la puissance de notre intelligence, qui dépasse à peine l'instinct des animaux. Nous n'avons même pas la faculté de percevoir notre infirmité, nous sommes faits pour savoir le prix du beurre et du blé, et, au plus, pour discuter sur la valeur de deux chevaux, de deux bateaux, de deux ministres ou de deux artistes.

» C'est tout. Nous sommes aptes tout juste à cultiver la terre et à nous servir maladroitement de ce qui est dessus. A peine commençons-nous à construire des machines qui marchent, nous nous étonnons comme des enfants à chaque découverte que nous aurions dû faire depuis des siècles, si nos avions été des êtres supérieurs. Nous sommes encore entourés d'inconnu, même en ce moment où il a fallu des milliers d'années de vie intelligente pour soupçonner l'électricité. Sommes-nous du même avis ? »

Je répondis en riant : « Oui, Monsieur.

— Très bien, alors. Eh bien, Monsieur, vous êtes-vous quelquefois occupé de Mars ?

— De Mars ?

— Oui, de la planète Mars ?

— Non, Monsieur.

— Voulez-vous me permettre de vous en dire quelques mots ?

— Mais oui, Monsieur, avec grand plaisir.

— Vous savez sans doute que les mondes de notre système, de notre petite famille, ont été formés par la condensation en globes d'anneaux gazeux primitifs, détachés l'un après l'autre de la nébuleuse solaire ?

— Oui, Monsieur.

— Il résulte de cela que les planètes les plus éloignées sont les plus vieilles, et doivent être, par conséquent, les plus civilisées. Voici l'ordre de leur naissance : Uranus, Saturne, Jupiter, Mars, la Terre, Vénus, Mercure. Voulez-vous admettre que ces planètes soient habitées comme la terre ?

— Mais certainement. Pourquoi croire que la terre est une exception ?

— Très bien. L'homme de Mars étant plus ancien que l'homme de la Terre... Mais je vais trop vite. Je veux d'abord vous prouver que Mars est habité. Mars présente à nos yeux à peu près l'aspect que la Terre doit présenter aux observateurs martiaux. Les océans y tiennent moins de place et y sont plus éparpillés. On les reconnaît à leur teinte noire parce que l'eau absorbe la lumière, tandis que les continents la réfléchissent. Les modifications géographiques sont fréquentes sur cette planète et prouvent l'activité de sa vie. Elle a des saisons semblables aux nôtres, des neiges aux pôles que l'on voit croître et diminuer suivant les époques. Son année est très longue, six cent quatre-vingt-sept jours terrestres, soit six cent soixante-huit jours martiaux, décomposés comme suit : cent quatre-vingt-onze pour le printemps, cent quatre-vingt-un pour l'été, cent quarante-neuf pour l'automne et cent quarante-sept pour l'hiver. On y voit moins de nuages que chez nous. Il doit y faire par conséquent plus froid et plus chaud. »

Je l'interrompis.

« Pardon, Monsieur, Mars étant beaucoup plus loin que nous du soleil, il doit y faire toujours plus froid, me semble-t-il. »

Mon bizarre visiteur s'écria avec une grande véhémence :

« Erreur, Monsieur ! Erreur, erreur absolue ! Nous

sommes, nous autres, plus loin du soleil en été qu'en hiver. Il fait plus froid sur le sommet du Mont Blanc qu'à son pied. Je vous renvoie d'ailleurs à la théorie mécanique de la chaleur de Helmholtz et de Schiaparelli. La chaleur du sol dépend principalement de la quantité de vapeur d'eau que contient l'atmosphère. Voici pourquoi : le pouvoir absorbant d'une molécule de vapeur aqueuse est seize mille fois supérieur à celui d'une molécule d'air sec, donc la vapeur d'eau est notre magasin de chaleur ; et Mars ayant moins de nuages doit être en même temps beaucoup plus chaud et beaucoup plus froid que la terre.

— Je ne le conteste plus.

— Fort bien. Maintenant, Monsieur, écoutez-moi avec une grande attention. Je vous prie.

— Je ne fais que cela, Monsieur.

— Vous avez entendu parler des fameux canaux découverts en 1884 par M. Schiaparelli ?

— Très peu.

— Est-ce possible ! Sachez donc qu'en 1884, Mars se trouvant en opposition et séparée de nous par une distance de vingt-quatre millions de lieues seulement, M. Schiaparelli, un des plus éminents astronomes de notre siècle et un des observateurs les plus sûrs, découvrit tout à coup une grande quantité de lignes noires droites ou brisées suivant des formes géométrique constantes, et qui unissaient, à travers les continents, les mers de Mars ! Oui, oui, Monsieur, des canaux rectilignes, des canaux géométriques, d'une largeur égale sur tout leur parcours, des canaux construits par des êtres ! Oui, Monsieur, la preuve que Mars est habitée, qu'on y vit, qu'on y pense, qu'on y travaille, qu'on nous regarde : comprenez-vous, comprenez-vous ?

» Vingt-six mois plus tard, lors de l'opposition suivante on a revu ces canaux, plus nombreux, oui, Monsieur. Et ils sont gigantesques, leur largeur n'ayant pas moins de cent kilomètres. »

Je souris en répondant :

« Cent kilomètres de largeur. Il a fallu de rudes ouvriers pour les creuser.

— Oh, Monsieur, que dites-vous là ? Vous ignorez donc que ce travail est infiniment plus aisé sur Mars que sur la Terre puisque la densité de ses matériaux constitutifs ne dépasse pas le soixante-neuvième des nôtres ! L'intensité de la pesanteur y atteint à peine le trente-septième de la nôtre.

» Un kilogramme d'eau n'y pèse que trois cent soixante-dix grammes ! »

Il me jetait ces chiffres avec une telle assurance, avec une telle confiance de commerçant qui sait la valeur d'un nombre, que je ne pus m'empêcher de rire tout à fait et j'avais envie de lui demander ce que pèsent, sur Mars, le sucre et le beurre.

Il remua la tête.

« Vous riez, Monsieur, vous me prenez pour un imbécile après m'avoir pris pour un fou. Mais les chiffres que je vous cite sont ceux que vous trouverez dans tous les ouvrages spéciaux d'astronomie. Le diamètre de Mars est presque moitié plus petit que le nôtre ; sa surface n'a que les vingt-six centièmes de celle du globe ; son volume est six fois et demie plus petit que celui de la Terre et la vitesse de ses deux satellites prouve qu'il pèse dix fois moins que nous. Or, Monsieur, l'intensité de la pesanteur dépendant de la masse et du volume, c'est-à-dire du poids et de la distance de la surface au centre, il en résulte indubitablement sur cette planète un état de légèreté qui y rend la vie toute différente, règle d'une façon inconnue pour nous les actions mécaniques et doit y faire prédominer les espèces ailées. Oui, Monsieur, l'Etre Roi sur Mars a des ailes.

» Il vole, passe d'un continent à l'autre, se promène, comme un esprit, autour de son univers auquel le lie cependant l'atmosphère qu'il ne peut franchir, bien que...

» Enfin, Monsieur, vous figurez-vous cette planète couverte de plantes, d'arbres et d'animaux dont nous ne pouvons même soupçonner les formes et habitée par de grands êtres ailés comme on nous a dépeint les anges ? Moi je les vois voltigeant au-dessus des plaines et des villes dans l'air doré qu'ils ont là-bas. Car on a cru autrefois que l'atmosphère de Mars était rouge comme la nôtre est bleue, mais elle est jaune, Monsieur, d'un beau jaune doré.

» Vous étonnez-vous maintenant que ces créatures-là aient pu creuser des canaux larges de cent kilomètres ? Et puis songez seulement à ce que la science a fait chez nous depuis un siècle... depuis un siècle... et dites-vous que les habitants de Mars sont peut-être supérieurs à nous... »

Il se tut brusquement, baissa les yeux, puis murmura d'une voix très basse :

« C'est maintenant que vous allez me prendre pour un fou... quand je vous aurai dit que j'ai failli les voir... moi... l'autre soir. Vous savez, ou vous ne savez pas, que nous sommes dans la saison des étoiles filantes. Dans la nuit du 18 au 19 surtout, on en voit tous les ans d'innombrables quantités ; il est probable que nous passons à ce moment-là à travers les épaves d'une comète.

» J'étais donc assis sur la Mane-Porte, sur cette énorme jambe de falaise qui fait un pas dans la mer, et je regardais cette pluie de petits mondes sur ma tête. Cela est plus amusant et plus joli qu'un feu d'artifice, Monsieur. Tout à coup j'en aperçus un au-dessus de moi, tout près, globe lumineux, transparent, entouré d'ailes immenses et palpitantes ou du moins j'ai cru voir des ailes dans les demi-ténèbres de la nuit. Il faisait des crochets comme un oiseau blessé, tournait sur lui-même avec un grand bruit mystérieux, semblait haletant, mourant, perdu. Il passa devant moi. On eût dit un monstrueux ballon de cristal, plein d'êtres affolés, à peine distincts mais agités comme l'équipage d'un navire en détresse qui ne gouverne plus et roule de vague en vague. Et le globe étrange, ayant décrit une courbe immense, alla s'abattre au loin dans la mer, où j'entendis sa chute profonde pareille au bruit d'un coup de canon.

» Tout le monde, d'ailleurs, dans le pays entendit ce choc formidable qu'on prit pour un éclat de tonnerre. Moi seul j'ai vu... j'ai vu... S'ils étaient tombés sur la côte près de moi, nous aurions connu les habitants de Mars. Ne dites pas un mot, Monsieur, songez, songez longtemps et puis racontez cela un jour si vous voulez. Oui, j'ai vu... j'ai vu... le premier navire aérien, le premier navire sidéral lancé dans l'infini par des êtres pensants... à moins que je n'aie assisté simplement à la mort d'une étoile filante capturée par la Terre. Car vous n'ignorez pas, Monsieur, que les planètes chassent les mondes errants de l'espace comme nous poursuivons ici-bas les vagabonds. La Terre qui est légère et faible ne peut arrêter dans leur route que les petits passants de l'immensité. »

Il s'était levé, exalté, délirant, ouvrant les bras pour figurer la marche des astres.

« Les comètes, Monsieur, qui rôdent sur les frontières de la grande nébuleuse dont nous sommes des condensations, les comètes, oiseaux libres et lumineux, viennent vers le soleil des profondeurs de l'Infini.

» Elles viennent traînant leur queue immense de lumière vers l'astre rayonnant ; elles viennent, accélérant si fort leur course éperdue qu'elles ne peuvent joindre celui qui les appelle ; après l'avoir seulement frôlé elles sont rejetées à travers l'espace par la vitesse même de leur chute.

» Mais si, au cours de leurs voyages prodigieux, elles ont passé près d'une puissante planète, si elles ont senti, déviées de leur route, son influence irrésistible, elles reviennent alors à ce maître nouveau qui les tient désormais captives. Leur parabole illimitée se transforme en une courbe fermée et c'est ainsi que nous pouvons calculer le retour des comètes périodiques. Jupiter a huit esclaves, Saturne une, Neptune aussi en a une, et sa planète extérieure une également, plus une armée d'étoiles filantes... Alors... Alors... j'ai peut-être vu seulement la Terre arrêter un petit monde errant...

» Adieu, Monsieur, ne me répondez rien, réfléchissez, réfléchissez, et racontez tout cela un jour si vous voulez... »

C'est fait. Ce toqué m'ayant paru moins bête qu'un simple rentier.

# QUI SAIT ?

## I

Mon Dieu ! Mon Dieu ! Je vais donc écrire ce qui m'est arrivé ! Mais le pourrai-je ? L'oserai-je ? Cela est si bizarre, si inexplicable, si incompréhensible, si fou !

Si je n'étais sûr de ce que j'ai vu, sûr qu'il n'y a eu, dans mes raisonnements aucune défaillance, aucune erreur dans mes constatations, pas de lacune dans la suite inflexible de mes observations, je me croirais un simple halluciné, le jouet d'une étrange vision. Après tout, qui sait ?

Je suis aujourd'hui dans une maison de santé ; mais j'y suis entré volontairement, par prudence, par peur ! Un seul être connaît mon histoire. Le médecin d'ici. Je vais l'écrire. Je ne sais trop pourquoi ? Pour m'en débarrasser, car je la sens en moi comme un intolérable cauchemar.

La voici :

J'ai toujours été un solitaire, un rêveur, une sorte de philosophe isolé, bienveillant, content de peu, sans aigreur contre les hommes et sans rancune contre le ciel. J'ai vécu seul, sans cesse, par suite d'une sorte de gêne qu'insinue en moi la présence des autres. Comment expliquer cela ? Je ne le pourrais. Je ne refuse pas de voir le monde, de causer, de dîner avec des amis, mais lorsque je les sens depuis longtemps près de moi, même les plus familiers, ils me lassent, me fatiguent, m'énervent, et j'éprouve une envie grandissante, harcelante, de les voir partir ou de m'en aller, d'être seul.

Cette envie est plus qu'un besoin, c'est une nécessité irrésistible. Et si la présence des gens avec qui je me trouve continuait, si je devais, non pas écouter, mais entendre longtemps encore leurs conversations, il m'arriverait, sans aucun doute, un accident. Lequel ? Ah ! qui sait ? Peut-être une simple syncope ? oui ! probablement !

J'aime tant être seul que je ne puis même supporter le voisinage d'autres êtres dormant sous mon toit ; je ne puis habiter Paris parce que j'y agonise indéfiniment. Je meurs moralement, et suis aussi supplicié dans mon corps et dans mes nerfs par cette immense foule qui grouille, qui vit autour de moi, même quand elle dort. Ah ! le sommeil des autres m'est plus pénible encore que leur parole. Et je ne peux jamais me reposer, quand je sais, quand je sens, derrière un mur, des existences interrompues par ces régulières éclipses de la raison.

Pourquoi suis-je ainsi ? Qui sait ? La cause en est peut-être fort simple ; je me fatigue très vite de tout ce qui ne se passe pas en moi. Et il y a beaucoup de gens dans mon cas.

Nous sommes deux races sur la terre. Ceux qui ont besoin des autres, que les autres distraient, occupent, reposent, et que la solitude harasse, épuise, anéantit, comme l'ascension d'un terrible glacier ou la traversée du désert, et ceux que les autres, au contraire, ennuient, gênent, courbaturent, tandis que l'isolement les calme, les baigne de repos dans l'indépendance et la fantaisie de leur pensée.

En somme, il y a là un normal phénomène psychique. Les uns sont doués pour vivre en dehors, les autres pour vivre en dedans. Moi, j'ai l'attention extérieure courte et vite épuisée, et, dès qu'elle arrive à ses limites, j'en éprouve, dans tout mon corps et dans toute mon intelligence, un intolérable malaise.

Il en est résulté que je m'attache, que je m'étais attaché beaucoup aux objets inanimés qui prennent, pour moi, une importance d'êtres, et que ma maison est devenue, était devenue, un monde où je vivais d'une vie solitaire et active, au milieu de choses, de meubles, de bibelots familiers, sympathiques à mes yeux comme des visages. Je l'en avais emplie peu à peu, je l'en avais parée, et je me sentais dedans, content, satisfait, bien heureux comme entre les bras d'une femme aimable dont la caresse accoutumée est devenue un calme et doux besoin.

J'avais fait construire cette maison dans un beau jardin qui l'isolait des routes, et à la porte d'une ville où je pouvais trouver, à l'occasion, les ressources de société dont je sentais, par moments, le désir. Tous mes domestiques couchaient dans un bâtiment éloigné, au fond du potager, qu'entourait un grand mur. L'enveloppement obscur des nuits, dans le silence de ma demeure perdue, cachée, noyée sous les feuilles des grands arbres, m'était si reposant et si bon, que j'hésitais chaque soir, pendant plusieurs heures, à me mettre au lit pour le savourer plus longtemps.

Ce jour-là, on avait joué *Sigurd* au théâtre de la ville. C'était la première fois que j'entendais ce beau drame musical et féerique, et j'y avais pris un vif plaisir.

Je revenais à pied, d'un pas allègre, la tête pleine de phrases sonores, et le regard hanté par de jolies visions. Il faisait noir, noir, mais noir au point que je distinguais à peine la grande route, et que je faillis, plusieurs fois, culbuter dans le fossé. De l'octroi chez moi, il y a un kilomètre environ, peut-être un peu plus, soit vingt minutes de marche lente. Il était une heure du matin, une heure ou une heure et demie ; le ciel s'éclaircit un peu devant moi et le croissant parut, le triste croissant du dernier quartier de la lune. Le croissant du premier quartier, celui qui se lève à quatre ou cinq heures du soir, est clair, gai, frotté d'argent, mais celui qui se lève après minuit est rougeâtre, morne, inquiétant ; c'est le vrai croissant du Sabbat. Tous les noctambules ont dû faire cette remarque. Le premier, fût-il mince comme un fil, jette une petite lumière joyeuse qui réjouit le cœur, et dessine sur la terre des ombres nettes ; le dernier répand à peine une lueur mourante, si terne qu'elle ne fait presque pas d'ombres.

J'aperçus au loin la masse sombre de mon jardin, et je ne sais d'où me vint une sorte de malaise à l'idée d'entrer là-dedans. Je ralentis le pas. Il faisait très doux. Le gros tas d'arbres avait l'air d'un tombeau où ma maison était ensevelie.

J'ouvris ma barrière et je pénétrai dans la longue allée de sycomores, qui s'en allait vers le logis, arquée en voûte comme un haut tunnel, traversant des massifs opaques et contournant des gazons où les corbeilles de fleurs plaquaient, sous les ténèbres pâlies, des taches ovales aux nuances indistinctes.

En approchant de la maison, un trouble bizarre me saisit. Je m'arrêtai. On n'entendait rien. Il n'y avait pas dans les feuilles un souffle d'air. « Qu'est-ce que j'ai donc ? » pensai-je. Depuis dix ans je rentrais ainsi sans que jamais la moindre inquiétude m'eût effleuré. Je n'avais pas peur. Je n'ai jamais eu peur, la nuit. La vue d'un homme, d'un maraudeur, d'un voleur m'aurait jeté une rage dans le corps, et j'aurais sauté dessus sans hésiter. J'étais armé, d'ailleurs. J'avais mon revolver. Mais je n'y touchai point, car je voulais résister à cette influence de crainte qui germait en moi.

Qu'était-ce ? Un pressentiment ? Le pressentiment mystérieux qui s'empare des sens des hommes quand ils vont voir de l'inexplicable ? Peut-être ? Qui sait ?

A mesure que j'avançais, j'avais dans la peau des tressaillements, et quand je fus devant le mur, aux auvents clos, de ma vaste demeure, je sentis qu'il me faudrait attendre quelques minutes avant d'ouvrir la porte et d'entrer dedans. Alors, je m'assis sur un banc, sous les fenêtres de mon salon. Je restai là, un peu vibrant, la tête appuyée contre la muraille, les yeux ouverts sur l'ombre des feuillages. Pendant ces premiers instants, je ne remarquai rien d'insolite autour de moi. J'avais dans les oreilles quelques ronflements ; mais cela m'arrive souvent. Il me semble parfois que j'entends passer des trains, que j'entends sonner des cloches, que j'entends marcher une foule.

Puis bientôt ces ronflements devinrent plus distincts, plus précis, plus reconnaissables. Je m'étais trompé. Ce n'était pas le bourdonnement ordinaire de mes artères qui mettait dans mes oreilles ces rumeurs, mais un bruit très particulier, très confus cependant, qui venait, à n'en point douter, de l'intérieur de ma maison.

Je le distinguais à travers le mur, ce bruit continu, plutôt une agitation qu'un bruit, un remuement vague d'un tas de choses, comme si on eût secoué, déplacé, traîné doucement tous mes meubles.

Oh ! je doutai, pendant un temps assez long encore, de la sûreté de mon oreille. Mais l'ayant collée contre un auvent pour mieux percevoir ce trouble étrange de mon logis, je demeurai convaincu, certain, qu'il se passait chez moi quelque chose d'anormal et d'incompréhensible. Je n'avais pas peur, mais j'étais... comment exprimer cela... effaré d'étonnement. Je n'armai pas mon revolver — devinant fort bien que je n'en avais nul besoin. J'attendis.

J'attendis longtemps, ne pouvant me décider à rien, l'esprit lucide, mais follement anxieux. J'attendis, debout, écoutant toujours le bruit qui grandissait, qui prenait, par moments, une intensité violente, qui semblait devenir un grondement d'impatience, de colère, d'émeute mystérieuse.

Puis soudain, honteux de ma lâcheté, je saisis mon trousseau de clefs, je choisis celle qu'il me fallait, je l'enfonçai dans la serrure, je la fis tourner deux fois, et poussant la porte de toute ma force, j'envoyai le battant heurter la cloison.

Le coup sonna comme une détonation de fusil, et voilà qu'à ce bruit d'explosion répondit, du haut en bas de ma demeure, un formidable tumulte. Ce fut si subit, si terrible, si assourdissant que je reculai de quelques pas, et que, bien que le sentant toujours inutile, je tirai de sa gaine mon revolver.

J'attendis encore, oh ! peu de temps. Je distinguais, à présent, un extraordinaire piétinement sur les marches de mon escalier, sur les parquets, sur les tapis, un piétinement, non pas de chaussures, de souliers humains, mais de béquilles, de béquilles de bois et de béquilles de fer qui vibraient comme des cymbales. Et voilà que j'aperçus tout à coup, sur le seuil de ma porte, un fauteuil, mon grand fauteuil de lecture, qui sortait en se dandinant. Il s'en alla par le jardin. D'autres le suivaient, ceux de mon salon, puis les canapés bas et se traînant comme des crocodiles sur leurs courtes pattes, puis toutes mes chaises, avec des bonds de chèvres, et les petits tabourets qui trottaient comme des lapins.

Oh ! quelle émotion ! Je me glissai dans un massif où

je demeurai accroupi, contemplant toujours ce défilé de mes meubles, car ils s'en allaient tous, l'un derrière l'autre, vite ou lentement, selon leur taille et leur poids. Mon piano, mon grand piano à queue, passa avec un galop de cheval emporté et un murmure de musique dans le flanc, les moindres objets glissaient sur le sable comme des fourmis, les brosses, les cristaux, les coupes, où le clair de lune accrochait des phosphorescences de vers luisants. Les étoffes rampaient, s'étalaient en flaques à la façon des pieuvres de la mer. Je vis paraître mon bureau, un rare bibelot du dernier siècle, et qui contenait toutes les lettres que j'ai reçues, toute l'histoire de mon cœur, une vieille histoire dont j'ai tant souffert ! Et dedans étaient aussi des photographies.

Soudain, je n'eus plus peur, je m'élançai sur lui et je le saisis comme on saisit un voleur, comme on saisit une femme qui fuit ; mais il allait d'une course irrésistible, et malgré mes efforts, et malgré ma colère, je ne pus même ralentir sa marche. Comme je résistais en désespéré à cette force épouvantable, je m'abattis par terre en luttant contre lui. Alors, il me roula, me traîna sur le sable, et déjà les meubles, qui le suivaient, commençaient à marcher sur moi, piétinant mes jambes et les meurtrissant ; puis, quand je l'eus lâché, les autres passèrent sur mon corps ainsi qu'une charge de cavalerie sur un soldat démonté.

Fou d'épouvante enfin, je pus me traîner hors de la grande allée et me cacher de nouveau dans les arbres, pour regarder disparaître les plus infimes objets, les plus petits, les plus modestes, les plus ignorés de moi, qui m'avaient appartenu.

Puis j'entendis, au loin, dans mon logis sonore à présent comme les maisons vides, un formidable bruit de portes refermées. Elles claquèrent du haut en bas de la demeure, jusqu'à ce que celle du vestibule que j'avais ouverte moi-même, insensé, pour ce départ, se fût close, enfin, la dernière.

Je m'enfuis aussi, courant vers la ville, et je ne repris mon sang-froid que dans les rues, en rencontrant des gens attardés. J'allai sonner à la porte d'un hôtel où j'étais connu. J'avais battu, avec mes mains, mes vêtements, pour en détacher la poussière, et je racontai que j'avais perdu mon trousseau de clefs, qui contenait aussi celle du potager, où couchaient mes domestiques en une maison isolée, derrière le mur de clôture qui préservait mes fruits et mes légumes de la visite des maraudeurs.

Je m'enfonçai jusqu'aux yeux dans le lit qu'on me donna. Mais je ne pus dormir, et j'attendis le jour en écoutant bondir mon cœur. J'avais ordonné qu'on prévînt mes gens dès l'aurore, et mon valet de chambre heurta ma porte à sept heures du matin.

Son visage semblait bouleversé.

« Il est arrivé cette nuit un grand malheur, Monsieur, dit-il.

— Quoi donc ?

— On a volé tout le mobilier de Monsieur, tout, tout, jusqu'aux plus petits objets. »

Cette nouvelle me fit plaisir. Pourquoi ? qui sait ? J'étais fort maître de moi, sûr de dissimuler, de ne rien dire à personne de ce que j'avais vu, de le cacher, de l'enterrer dans ma conscience comme un effroyable secret. Je répondis :

« Alors, ce sont les mêmes personnes qui m'ont volé mes clefs. Il faut prévenir tout de suite la police. Je me lève et je vous y rejoindrai dans quelques instants. »

L'enquête dura cinq mois. On ne découvrit rien, on ne trouva ni le plus petit de mes bibelots, ni la plus légère trace des voleurs. Parbleu ! Si j'avais dit ce que je savais... Si je l'avais dit... on m'aurait enfermé, moi, pas les voleurs, mais l'homme qui avait pu voir une pareille chose.

Oh ! je sus me taire. Mais je ne remeublai pas ma maison. C'était bien inutile. Cela aurait recommencé toujours. Je n'y voulais plus rentrer. Je n'y rentrai pas. Je ne la revis point.

Je vins à Paris, à l'hôtel, et je consultai des médecins sur mon état nerveux qui m'inquiétait beaucoup depuis cette nuit déplorable. Ils m'engagèrent à voyager. Je suivis leur conseil.

## II

Je commençai par une excursion en Italie. Le soleil me fit du bien. Pendant six mois, j'errai de Gênes à Venise, de Venise à Florence, de Florence à Rome, de Rome à Naples. Puis je parcourus la Sicile, terre admirable par sa nature et ses monuments, reliques laissées par les Grecs et les Normands. Je passai en Afrique, je traversai pacifiquement ce grand désert jaune et calme, où errent des chameaux, des gazelles et des Arabes vagabonds, où, dans l'air léger et transparent, ne flotte aucune hantise, pas plus la nuit que le jour.

Je rentrai en France par Marseille, et malgré la gaieté provençale, la lumière diminuée du ciel m'attrista. Je ressentis, en revenant sur le continent, l'étrange impression d'un malade qui se croit guéri et qu'une douleur sourde prévient que le foyer du mal n'est pas éteint.

Puis je revins à Paris. Au bout d'un mois, je m'y ennuyai. C'était à l'automne, et je voulus faire, avant l'hiver, une excursion à travers la Normandie, que je ne connaissais pas.

Je commençai par Rouen, bien entendu, et pendant huit jours, j'errai distrait, ravi, enthousiasmé dans cette ville du Moyen Age, dans ce surprenant musée d'extraordinaires monuments gothiques.

Or, un soir, vers quatre heures, comme je m'engageais dans une rue invraisemblable où coule une rivière noire comme de l'encre nommée « Eau de Robec », mon attention, toute fixée sur la physionomie bizarre et antique des maisons, fut détournée tout à coup par la vue d'une série de boutiques de brocanteurs qui se suivaient de porte en porte.

Ah ! ils avaient bien choisi leur endroit, ces sordides trafiquants de vieilleries, dans cette fantastique ruelle, au-dessus de ce cours d'eau sinistre, sous ces toits pointus de tuiles et d'ardoises où grinçaient encore les girouettes du passé !

Au fond des noirs magasins, on voyait s'entasser les bahuts sculptés, les faïences de Rouen, de Nevers, de Moustiers, des statues peintes, d'autres en chêne, des Christ, des vierges, des saints, des ornements d'église, des chasubles, des chapes, même des vases sacrés et un vieux tabernacle en bois doré d'où Dieu avait déménagé. Oh ! les singulières cavernes en ces hautes maisons, en ces grandes maisons, pleines, des caves aux greniers, d'objets de toute nature, dont l'existence semblait finie, qui survivaient à leurs naturels possesseurs, à leur siècle, à leur temps, à leurs modes, pour être achetés, comme curiosités, par les nouvelles générations.

Ma tendresse pour les bibelots se réveillait dans cette cité d'antiquaires. J'allais de boutique en boutique, traversant, en deux enjambées, les ponts de quatre planches pourries jetées sur le courant nauséabond de l'Eau de Robec.

Miséricorde ! Quelle secousse ! Une de mes plus belles armoires m'apparut au bord d'une voûte encombrée d'objets et qui semblait l'entrée des catacombes d'un cimetière de meubles anciens. Je m'approchai tremblant de tous mes membres, tremblant tellement que je n'osais pas la toucher. J'avançais la main, j'hésitais. C'était bien elle, pourtant : une armoire Louis XIII unique, reconnaissable par quiconque avait pu la voir une seule fois. Jetant soudain les yeux un peu plus loin, vers les profondeurs plus sombres de cette galerie, j'aperçus trois de mes fauteuils couverts de tapisserie au petit point, puis, plus loin encore, mes deux tables Henri II, si rares qu'on venait les voir de Paris.

Songez ! songez à l'état de mon âme !

Et j'avançai, perclus, agonisant d'émotion, mais j'avançai, car je suis brave, j'avançai comme un chevalier des époques ténébreuses pénétrait en un séjour de sortilèges. Je retrouvais, de pas en pas, tout ce qui m'avait appartenu, mes lustres, mes livres, mes tableaux, mes étoffes, mes armes, tout, sauf le bureau plein de mes lettres, et que je n'aperçus point.

J'allais, descendant à des galeries obscures pour remonter ensuite aux étages supérieurs. J'étais seul. J'appelais, on ne répondait point. J'étais seul ; il n'y avait personne en cette maison vaste et tortueuse comme un labyrinthe.

La nuit vint, et je dus m'asseoir, dans les ténèbres, sur une de mes chaises, car je ne voulais point m'en aller. De temps en temps je criais : « Holà ! holà ! quelqu'un ! »

J'étais là, certes, depuis plus d'une heure quand j'entendis des pas, des pas légers, lents, je ne sais où. Je faillis me sauver ; mais me raidissant, j'appelai de nouveau, et, j'aperçus une lueur dans la chambre voisine.

« Qui est là ? » dit une voix.

Je répondis :

« Un acheteur. »

On répliqua :

« Il est bien tard pour entrer ainsi dans les boutiques. »

Je repris :

« Je vous attends depuis plus d'une heure.

— Vous pouviez revenir demain.

— Demain, j'aurai quitté Rouen. »

Je n'osais point avancer, et il ne venait pas. Je voyais toujours la lueur de sa lumière éclairant une tapisserie où deux anges volaient au-dessus des morts d'un champ de bataille. Elle m'appartenait aussi. Je dis :

« Eh bien ! Venez-vous ? »

Il répondit :

« Je vous attends. »

Je me levai et j'allai vers lui.

Au milieu d'une grande pièce était un tout petit homme, tout petit et très gros, gros comme un phénomène, un hideux phénomène.

Il avait une barbe rare, aux poils inégaux, clairsemés et jaunâtres, et pas un cheveu sur la tête ! Pas un cheveu ! Comme il tenait sa bougie élevée à bout de bras pour m'apercevoir, son crâne m'apparut comme une petite lune dans cette vaste chambre encombrée de vieux meubles. La figure était ridée et bouffie, les yeux imperceptibles.

Je marchandai trois chaises qui étaient à moi, et les payai sur-le-champ une grosse somme, en donnant simplement le numéro de mon appartement à l'hôtel. Elles devaient être livrées le lendemain avant neuf heures.

Puis je sortis. Il me reconduisit jusqu'à sa porte avec beaucoup de politesse.

Je me rendis ensuite chez le commissaire central de la police à qui je racontai le vol de mon mobilier et la découverte que je venais de faire.

Il demanda séance tenante des renseignements par télégraphe au parquet qui avait instruit l'affaire de ce vol, en me priant d'attendre la réponse. Une heure plus tard, elle lui parvint tout à fait satisfaisante pour moi.

« Je vais faire arrêter cet homme et l'interroger tout de suite, me dit-il, car il pourrait avoir conçu quelque soupçon et faire disparaître ce qui vous appartient. Voulez-vous aller dîner et revenir dans deux heures, je l'aurai ici et je lui ferai subir un nouvel interrogatoire devant vous.

— Très volontiers, Monsieur. Je vous remercie de tout mon cœur. »

J'allai dîner à mon hôtel, et je mangeai mieux que je n'aurais cru. J'étais assez content tout de même. On le tenait.

Deux heures plus tard, je retournai chez le fonctionnaire de la police qui m'attendait.

« Eh bien ! Monsieur, me dit-il en m'apercevant. On n'a pas trouvé votre homme. Mes agents n'ont pu mettre la main dessus.

— Ah ! » Je me sentis défaillir.

« Mais... Vous avez bien trouvé sa maison ? demandai-je.

— Parfaitement. Elle va même être surveillée et gardée jusqu'à son retour. Quant à lui, disparu.

— Disparu ?

— Disparu. Il passe ordinairement ses soirées chez sa voisine, une brocanteuse aussi, une drôle de sorcière, la veuve Bidoin. Elle ne l'a pas vu ce soir et ne peut donner sur lui aucun renseignement. Il faut attendre demain. »

Je m'en allai. Ah ! que les rues de Rouen me semblèrent sinistres, troublantes, hantées.

Je dormis si mal, avec des cauchemars à chaque bout de sommeil.

Comme je ne voulais pas paraître trop inquiet ou pressé, j'attendis dix heures, le lendemain, pour me rendre à la police.

Le marchand n'avait pas reparu. Son magasin demeurait fermé.

Le commissaire me dit :

« J'ai fait toutes les démarches nécessaires. Le parquet est au courant de la chose ; nous allons aller ensemble à cette boutique et la faire ouvrir, vous m'indiquerez tout ce qui est à vous. »

Un coupé nous emporta. Des agents stationnaient, avec

un serrurier, devant la porte de la boutique, qui fut ouverte.

Je n'aperçus, en entrant, ni mon armoire, ni mes fauteuils, ni mes tables, ni rien, rien, de ce qui avait meublé ma maison, mais rien, alors que la veille au soir je ne pouvais faire un pas sans rencontrer un de mes objets.

Le commissaire central, surpris, me regarda d'abord avec méfiance.

« Mon Dieu, Monsieur, lui dis-je, la disparition de ces meubles coïncide étrangement avec celle du marchand. »

Il sourit :

« C'est vrai ! Vous avez eu tort d'acheter et de payer des bibelots à vous, hier. Cela lui a donné l'éveil. »

Je repris :

« Ce qui me paraît incompréhensible, c'est que toutes les places occupées par mes meubles sont maintenant remplies par d'autres.

— Oh ! répondit le commissaire, il a eu toute la nuit, et des complices sans doute. Cette maison doit communiquer avec les voisines. Ne craignez rien, Monsieur, je vais m'occuper très activement de cette affaire. Le brigand ne nous échappera pas longtemps puisque nous gardons la tanière. »

. . . . . . . . . . . . . . . . . . . . . . . . . . . . . . . . . . . . . . . . . . .

Ah ! mon cœur, mon cœur, mon pauvre cœur, comme il battait !

. . . . . . . . . . . . . . . . . . . . . . . . . . . . . . . . . . . . . . . . . . .

Je demeurai quinze jours à Rouen. L'homme ne revint pas. Parbleu ! parbleu ! Cet homme-là qui est-ce qui aurait pu l'embarrasser ou le surprendre ?

Or, le seizième jour, au matin, je reçus de mon jardinier, gardien de ma maison pillée et demeurée vide, l'étrange lettre que voici :

Monsieur,

J'ai l'honneur d'informer Monsieur qu'il s'est passé, la nuit dernière, quelque chose que personne ne comprend, et la police pas plus que nous. Tous les meubles sont revenus, tous sans exception, tous, jusqu'aux plus petits objets.

La maison est maintenant toute pareille à ce qu'elle était la veille du vol. C'est à en perdre la tête. Cela s'est fait dans la nuit de vendredi à samedi. Les chemins sont défoncés comme si on avait traîné tout de la barrière à la porte. Il en était ainsi le jour de la disparition.

Nous attendons Monsieur, dont je suis le très humble serviteur

RAUDIN, PHILIPPE.

Ah ! mais non, ah ! mais non, ah ! mais non. Je n'y retournerai pas !

Je portai la lettre au commissaire de Rouen.

« C'est une restitution très adroite, dit-il. Faisons les morts. Nous pincerons l'homme un de ces jours. »

. . . . . . . . . . . . . . . . . . . . . . . . . . . . . . . . . . . . . . .

Mais on ne l'a pas pincé. Non. Ils ne l'ont pas pincé, et j'ai peur de lui, maintenant, comme si c'était une bête féroce lâchée derrière moi.

Introuvable ! il est introuvable, ce monstre à crâne de lune ! On ne le prendra jamais. Il ne reviendra point chez lui. Que lui importe à lui. Il n'y a que moi qui peux le rencontrer, et je ne veux pas.

Je ne veux pas ! je ne veux pas ! je ne veux pas !

Et s'il revient, s'il rentre dans sa boutique, qui pourra prouver que mes meubles étaient chez lui ? Il n'y a contre lui que mon témoignage ; et je sens bien qu'il devient suspect.

Ah ! mais non ! cette existence n'était plus possible. Et je ne pouvais pas garder le secret de ce que j'ai vu. Je ne pouvais pas continuer à vivre comme tout le monde avec la crainte que des choses pareilles recommençassent.

Je suis venu trouver le médecin qui dirige cette maison de santé, et je lui ai tout raconté.

Après m'avoir interrogé longtemps, il m'a dit :

« Consentiriez-vous, Monsieur, à rester quelque temps ici ?

— Très volontiers, Monsieur.

— Vous avez de la fortune ?

— Oui, Monsieur.

— Voulez-vous un pavillon isolé ?

— Oui, Monsieur.

— Voudrez-vous recevoir des amis ?

— Non, Monsieur, non, personne. L'homme de Rouen pourrait oser, par vengeance, me poursuivre ici. »

. . . . . . . . . . . . . . . . . . . . . . . . . . . . . . . . . . . . . . . . . .

Et je suis seul, tout seul, depuis trois mois. Je suis tranquille à peu près. Je n'ai qu'une peur... Si l'antiquaire devenait fou... et si on l'amenait en cet asile... Les prisons elles-mêmes ne sont pas sûres.

# LES CLÉS DE L'ŒUVRE

I - AU FIL DU TEXTE

II - DOSSIER HISTORIQUE ET LITTÉRAIRE

Pour approfondir votre lecture, LIRE vous propose une sélection commentée :

- de morceaux « classiques » devenus incontournables, signalés par ➸ (droit au but).
- d'extraits représentatifs de l'œuvre, signalés par ⤳ (en flânant).

# AU FIL DU TEXTE

Par Gérard Gengembre,
professeur de littérature française à l'université de Caen.

1. DÉCOUVRIR ........................................................ V

- La date
- Le titre
- Composition :
  - Point de vue de l'auteur
  - Structure de l'œuvre

2. LIRE ........................................................ IX

- Droit au but
  - *Le Horla*
- En flânant
  - *La peur*
- Les thèmes clés

3. POURSUIVRE ........................................................ XII

- Lectures croisées
- Pistes de recherches
  - Maupassant fantastique
  - Le fantastique de Maupassant dans son siècle
- Parcours critique
- Un livre/un film

# AU FIL DU TEXTE

## I - DÉCOUVRIR

***La phrase clé***

« Qu'ai-je donc ? C'est lui, lui, le Horla, qui me hante, qui me fait penser ces folies ! Il est en moi, il devient mon âme ; je le tuerai ! »

« Le Horla », p. 138.

### • LA DATE

La littérature fantastique du XIX^e siècle est florissante, depuis les traductions des romans gothiques anglais de la fin du XVIII^e siècle, celles des contes d'Hoffmann et la production française de Nodier (*Smarra ou les démons de la nuit*, 1821 ; *Trilby*, 1822), de Balzac (*La Peau de chagrin*, 1831), de Jules Janin (*Contes fantastiques et contes littéraires*, 1832), de Mérimée (*La Vénus d'Ille*, 1837), de Théophile Gautier (*Le Pied de momie*, 1840), de Baudelaire (traductions d'Edgar Poe), de Nerval (*Sylvie*, 1853 ; *Aurélia*, 1855). La fin de siècle redouble encore l'intérêt pour ce genre.

Les textes recueillis ici ont été publiés entre 1875 (« La Main d'écorché » sous le pseudonyme de Joseph Prunier) et 1890 (« Qui sait ? »). « Le Horla » date de 1887, mais une première version, reproduite pp. 199-206, était parue en 1886.

La veine fantastique est présente dans toute la production de Maupassant.

Certes, sa maladie, qui devait déboucher sur la folie, peut expliquer en partie la force de cette inspiration, mais il faut se souvenir que la névrose est devenue un thème littéraire dans les années 1880. À cette mode médicale s'ajoute celle de l'inhalation d'éther, que l'on retrouve dans les *Contes d'un buveur d'éther* de Jean Lorrain (1895).

### • LE TITRE

Le titre du recueil n'est pas de Maupassant mais de l'éditeur et du présentateur. Le conte « Le Horla » donne son titre à un recueil publié par Maupassant en 1887, et qui regroupe d'autres textes que ceux ici rassemblés, dont voici la liste :

*Le Horla – Amour – Le Trou – Clochette – Le Marquis de Fumerol – Le Signe – Le Diable – Les Rois – Au bois – Une famille – Joseph.*

Il ne s'agit nullement d'un recueil à dominante fantastique. On y trouve par exemple des récits légers (« Le Signe ») ou de guerre (« Les Rois »).

Si le sujet du « Horla » est la folie, ce thème, à ne s'en tenir qu'aux seuls titres, est présent dans cinq récits : « Fou ? » (1882), « La Folle » (1882, voir *Boule de suif et autres récits de guerre*, Pocket Classiques), « Un fou ? » (1884, repris ici), « Lettre d'un fou » (1885, repris ici, et où apparaît pour la première fois l'épisode du reflet perdu), « Un fou » (1885).

Singulier, le mot lui-même a donné lieu à de nombreuses interprétations. Certains ont voulu y voir le génitif « orla » du mot russe « oriol » signifiant « aigle », que Maupassant utilise pour son roman *Mont-Oriol* (Pocket Classiques, n° 6210), ou bien un dérivé de Hurlebleu de Nodier. D'autres y voient l'anagramme du surnom du médecin de Maupassant, Cazalis, qui était Lahor. D'autres encore croient reconnaître une déformation du terme dialectal normand « horsain », qui signifie « étranger ». D'autres toujours ont cru reconnaître une anagramme de « choléra ». Enfin on a remarqué que Horlaville est un patronyme fréquent en Normandie ou que l'alternance vocalique *o/a* est chère à Maupassant. Il paraît plus simple d'en faire un équivalent phonétique de « hors-là », sorte d'ordre d'expulsion intimé au héros, tant de chez lui, que de son corps ou de sa vie.

Parmi les autres récits du recueil, aucun ne présente de difficulté particulière, si ce n'est ceux de « Sur l'eau », de « Conte de Noël » ou de « Un cas de divorce » qui n'annoncent de manière ni évidente ni approchante un contenu fantastique. La lecture seule le révèle.

## • COMPOSITION

### Le point de vue de l'auteur

*Le pacte de lecture*

Comme la critique l'a montré (René Godenne, Marie-Claire Bancquart), dans ces récits, Maupassant joue le jeu du fantastique et s'efforce de nous faire croire à la réalité de l'événement inexplicable qu'il relate. D'où le recours fréquent à la première personne ou la délégation à un narrateur qui se présente comme étant objectif. Le saut dans l'imaginaire est toujours accompli par l'esprit même des personnages, et dans leur esprit. Il s'agit donc de décrire, de rapporter, de restituer ce qui est ressenti ou éprouvé comme tel, sans tenter de donner une explication rationnelle ou scientifique.

*Les objectifs d'écriture*

Il s'agit de produire chez le lecteur une hésitation quant à la nature de ces événements, et donc un plaisir. En effet, d'une part l'on a l'impression de pénétrer dans l'intimité de la personnalité de l'écrivain et, d'autre part, de confronter le réalisme à l'inexplicable, qui tient autant aux forces obscures ancestrales, nos vieux démons en quelque sorte, qu'à la résistance du réel, qui ne se laisse pas toujours expliquer de manière complète et satisfaisante. Enfin, il est bien agréable de se faire peur.

### Structure de l'œuvre

On ne s'intéressera ici qu'au « Horla ». Alors que la première version de 1886 organise un véritable conte avec sa structure typique de l'enchâssement (un récit rétrospectif est inscrit dans un récit-cadre) et obéit à une logique événementielle, la version définitive recourt à la forme du journal intime, ce qui supprime tout intermédiaire entre le diariste (le rédacteur du journal) et le lecteur, qui devient ainsi seul juge de l'aventure vécue par le héros.

Ce journal va du 8 mai au 10 septembre. Le narrateur vit seul avec ses domestiques dans une maison près de Rouen. Soudainement, il est pris de malaises dont il ignore l'origine et qui s'amplifient jour après jour. Différents voyages le soulagent, mais dès son retour, ses maux reprennent. Il éprouve peu à peu le sentiment d'une présence invisible, qui semble se nourrir de lui. Aucune des expériences auxquelles il se livre pour déterminer la nature de son mal n'apporte de réponse, alors que son sentiment d'être possédé s'accroît. La lecture d'un article de journal l'amène à supposer qu'une race d'êtres invisibles et supérieurs auxquels il donne le nom de Horla est en train de s'emparer de l'humanité tout entière. Il décide de tuer cet être qui se serait saisi de lui en mettant le feu à sa maison où il pense l'avoir enfermé. Il ne provoque que la mort de ses domestiques et se sent de nouveau possédé. Le manuscrit s'arrête sur sa décision de se suicider.

La logique du héros vacille au fur et à mesure que le journal progresse, et son écriture suit cette évolution pour traduire l'immersion dans la folie. Une question scande le texte : « Suis-je fou ? » Le héros conclut que non en constatant le triomphe du Horla. Le lecteur est tenté de répondre par l'affirmative. D'un côté le héros accepte l'irrationnel. De l'autre le lecteur peut ne pas l'accepter.

Il s'agit ici de l'étude d'une démence naissante et du récit de la lutte inutile contre une obsession délirante. Ainsi le récit apparaît également comme un document clinique où se scinde l'identité de la victime : « Je ne suis plus rien en moi, rien qu'un spectateur esclave et terrifié de toutes les choses que j'accomplis. » Le feu qui brûle la maison est donc aussi la métaphore d'un feu intérieur encore plus destructeur.

## II - LIRE

*Pour approfondir votre lecture,* LIRE *vous propose une sélection commentée :*

- *de morceaux « classiques » devenus incontournables, signalés par* ➜ *(droit au but).*
- *d'extraits représentatifs de l'œuvre, signalés par* ➜ *(en flânant).*

| ➜ ***Le Horla*** de « 5 juillet… » à « … frissonner ». | pp. 121-139 |
|---|---|

Ce long passage contient l'essentiel du conte. On voit bien se dérouler le principe fondamental de l'écriture : le journal d'un individu obsédé par son double maléfique. Le journal d'une folie permet une chronologie des progrès de l'obsession et son rythme entretient l'angoisse. La précision de la description s'oppose aux commentaires du narrateur, démontrant que naturalisme et fantastique n'ont rien de contradictoire.

On remarque également comment l'être invisible prend peu à peu une identité, pour évoluer lui aussi dans sa dénomination par le héros. Le narrateur s'enfonce de plus en plus dans sa représentation. On a affaire à deux aliénations principales relatées par les entrées des 5 juillet et 19 août. La seconde est plus angoissante et plus troublante que la première. Les rapports entre le clinique (ce qui relève d'une approche médicale, psychiatrique) et le fantastique sont évoqués successivement ou simultanément, ce qui pose la question : le fantastique relève-t-il ou non du clinique ? Il y a là une ambiguïté savamment entretenue.

Dès lors, le statut du texte devient lui-même ambigu : fiction, document ou témoignage ? On voit à quoi aboutit l'écriture réaliste et naturaliste, qui peut renoncer à interpréter les événements ou les faits qu'elle décrit.

Un travail précis sur les procédés traduisant l'épouvante et l'affolement du narrateur s'appuierait sur les artifices typographiques, le lexique des sentiments, la forme des phrases, l'alternance des temps grammaticaux, le rythme marqué par des mots-outils.

| ➜ ***La peur*** de « C'était l'hiver dernier… » à « … palissade ». | pp. 30-33 |
|---|---|

Cet extrait situe ce que l'on pourrait appeler l'écriture d'un drame de l'épouvante. La peur reste indéfinie et mystérieuse. Aucun objet ni aucun être n'apparaît qui puisse justifier cette peur qui gagne tous les protagonistes. Il s'agit donc pour le narrateur de nous faire partager l'angoisse des personnages et de tendre l'émotion jusqu'au dénouement, qui, s'il explique une apparition, celle de la tête blanche, ne permet pas de comprendre la peur qui précédait celle-ci.

### • LES THÈMES CLÉS

1. Le recueil modernise le fantastique et se concentre sur des moments de peur intense vécus par des héros qui font le plus souvent preuve de courage. Tout procède d'un constat, développé dans « Lettre d'un fou » (pp. 99-105) et défini dans « Un fou ? » : « Nous ne communiquons avec les choses que par nos sens, incomplets, infirmes, si faibles qu'ils ont à peine la puissance de constater ce qui nous entoure » (p. 93).
2. Les objets les plus familiers peuvent se charger d'un pouvoir maléfique (« Qui sait ? »). Devant ces forces agressives extérieures, la fuite apparaît comme le seul recours, mais le voyage devient une errance et en définitive une perte du moi, car c'est soi-même que l'on fuit.
3. La rationalité peut ménager des moments de répit, mais n'empêche nullement l'engloutissement progressif que le récit organise en le relatant. On a affaire à un phénomène pour l'essentiel intérieur, bien qu'il naisse de la réalité elle-même.
4. On peut donc situer Maupassant par rapport à la thématique générale du fantastique telle que l'a définie Roger Caillois dans *Images, images* (1966) :
   - le pacte avec le démon (exemple *Faust* de Goethe) ;
   - l'âme en peine qui exige pour son repos qu'une certaine action soit accomplie (exemple *Melmoth* de Maturin) ;
   - la mort personnifiée apparaissant au milieu des vivants (exemple *Le Spectre de la mort rouge* d'Edgar Poe, dont les *Histoires extraordinaires* et les *Nouvelles Histoires extraordinaires* sont disponibles dans Pocket Classiques, n[os] 6019 et 6050) ;
   - la « chose » indéfinissable et invisible mais qui pèse, qui est présente ;
   - les vampires ;
   - la statue, le mannequin, l'armure, l'automate, qui soudain s'animent et acquièrent une redoutable indépendance (exemple *La Vénus d'Ille* de Mérimée) ;

- la malédiction d'un sorcier qui entraîne une maladie épouvantable et surnaturelle (exemple *La Marque de la bête* de Kipling) ;
- la femme fantôme, venue de l'au-delà, séductrice et mortelle (exemple *Le Diable amoureux* de Cazotte) ;
- l'interversion des domaines du rêve et de la réalité (exemple *Aurélia* de Nerval, disponible dans Pocket Classiques, n° 6109) ;
- la chambre, l'appartement, l'étage, la maison, la rue, effacés de l'espace ;
- l'arrêt ou la répétition du temps (exemple *Le Manuscrit trouvé à Saragosse* de Potocki).

On peut également comparer le fonctionnement des textes de Maupassant au schéma d'Ostrowski (*The Fantastic and the Realistic in Literature*, 1966) :

| | | | | |
|---|---|---|---|---|
| **personnages** | | pris dans | | |
| (matière + conscience) | | une **action** | **causalité** | dans le **temps** |
| **1** | **2** | **5** | **6** | **8** |
| **monde des objets** | | régie par | et/ou **buts** | |
| (matière + espace) | | | **7** | |
| **3** | **4** | | | |

Un conte fantastique se définit alors par la transgression d'un ou plusieurs des huit éléments de ce schéma : l'identité du personnage n'est plus assurée, les objets acquièrent une vie autonome ou disparaissent, l'action n'obéit plus au principe de causalité, le temps n'est plus linéaire, etc.

## III - POURSUIVRE

### • LECTURES CROISÉES

1. « Le Horla » adopte la forme du journal intime. Edgar Poe a recours à la même technique dans *Le Cœur révélateur* (*Nouvelles Histoires extraordinaires*). On peut également comparer la manière de Maupassant à celle de Gogol dans *Le Journal d'un fou* (1835).

2. « La Main d'écorché » et « La Main » reprennent un thème récurrent dans la littérature fantastique. Parmi d'autres traitements, on peut choisir *La Main enchantée* de Nerval (1832), dont voici un extrait situé à la fin, racontant l'exécution du héros, Eustache :

   « L'homme rouge [le bourreau] ne s'étonnait pas de peu ; il se mit en devoir de remonter sur les épaules de son sujet, aux grandes huées des assistants ; mais la main traita son visage bourgeonné avec la même irrévérence qu'elle avait montrée à l'égard de maître Chevassut, si bien que cet homme tira, en jurant Dieu, un large couteau qu'il portait toujours sous ses vêtements et, en deux coups, abattit la main *possédée*.
   Elle fit un bond prodigieux et tomba sanglante au milieu de la foule, qui se divisa avec frayeur ; alors, faisant encore plusieurs bonds par l'élasticité de ses doigts, et comme chacun lui ouvrait un large passage, elle se trouva bientôt au pied de la tourelle du Château-Gaillard ; puis, s'accrochant encore par ses doigts, comme un crabe, aux aspérités et aux fentes de la muraille, elle monta ainsi jusqu'à l'embrasure où le bohémien l'attendait. »

### • PISTES DE RECHERCHES

#### Maupassant fantastique

Aux textes réunis ici, on peut ajouter les titres suivants :
*Le Docteur Héraclius Gloss* (1875) ; *Coco, coco, coco frais !* (1878) ; *Le Masque* (1881) ; *Suicides* (1881) ; *Histoire d'un chien* (1881) ; *Fou ?* (1882) ; *Magnétisme* (1882) ; *Rêves* (1882) ; *Le Père Judas* (1883) ; *Mademoiselle Cocotte* (1883) ; *L'Enfant* (1883) ; *Solitude* (1884) ; *Promenade* (1884) ; *La Peur* (1884) ; *L'Auberge* (1886) ; *L'Endormeuse* (1889).

2. À l'article de Maupassant cité dans le dossier (pp. 186-190), on ajoutera : « Adieu mystères » (1881) et « Par-delà » (1884).
3. En s'appuyant sur le dossier historique et littéraire (pp. 191-197), on étudiera le narrateur du « Horla » à la lumière de la science de son temps.
4. Comparaison entre les deux versions du « Horla » (voir le dossier historique et littéraire, pp. 199-206).

**Le fantastique de Maupassant dans son siècle**

La tentation de l'irrationnel est une caractéristique du XIX$^{e}$ siècle, renforcée par la perspective fin de siècle. On renverra au volume des *Récits fantastiques* de Nodier, Balzac, Gautier, Mérimée (Pocket Classiques, n° 6087), aux recueils d'Edgar Poe (*Histoires extraordinaires* ; *Nouvelles Histoires extraordinaires*), à *À Rebours* de Huysmans (Pocket Classiques, n° 6116). On ajoutera Villiers de l'Isle-Adam, *Contes cruels*.

**• PARCOURS CRITIQUE**

Le genre fantastique a fait l'objet d'un renouvellement critique dans les années 1970 à partir de l'ouvrage de Tzvetan Todorov, *Introduction à la littérature fantastique* (Le Seuil, 1970) et d'un point de vue opposé défendu par Irène Bessière (*Le Récit fantastique*, Larousse, 1974). Parmi les ouvrages les plus récents et les plus clairs, signalons celui de Joël Malrieu, *Le Fantastique* (Hachette, coll. « Contours littéraires », 1992).

Pour situer l'histoire du genre, le texte littéraire et théorique fondateur en France est dû à Charles Nodier, *Du fantastique en littérature*, article paru en 1830, dont voici un large extrait :

« Le fantastique demande à la vérité une virginité d'imagination et ces croyances qui manquent aux littératures secondaires, et qui ne se reproduit chez elles qu'à la suite de ces révolutions dont le passage renouvelle tout ; mais alors, et quand les religions elles-mêmes, ébranlées jusque dans leurs fondements, ne parlent plus à l'imagination, ou ne lui portent que des notions confuses, de jour en jour obscurcies par un scepticisme inquiet, il faut bien que cette faculté de produire le merveilleux dont la nature l'a douée s'exerce sur un genre de création plus vulgaire et mieux approprié aux besoins d'une intelligence matérialisée. L'apparition des fables commence au moment où finit l'empire de ces vérités réelles ou convenues qui prêtent un reste d'âme au mécanisme usé de la civilisation. Voilà ce qui a rendu le fantastique si populaire en Europe depuis quelques années, et ce qui en fait la seule littérature essentielle de l'âge de décadence ou de transition où nous sommes parvenus. Nous devons même reconnaître en cela un bienfait spontané de notre organisation ; car si l'esprit humain ne se complaisait encore dans de vives et brillantes chimères, quand il a touché à nu toutes les repoussantes réalités du monde vrai, cette époque de désabusement serait en proie au plus violent désespoir, et la société offrirait la révélation effrayante d'un besoin unanime de dissolution et de suicide. Il ne faut donc pas tant crier contre le romantisme et le fantastique. »

La critique a beaucoup étudié « Le Horla », érigé en texte emblématique du fantastique maupassantien. Évoquant ce qu'il affirme être la lente disparition du surnaturel, Maupassant a lui-même défini la littérature fantastique dans un article donné au *Gaulois* le 7 octobre 1883, reproduit dans le dossier historique et littéraire, et dont voici un extrait :

« [...] quand le doute eut pénétré enfin dans les esprits, l'art est devenu plus subtil. L'écrivain a cherché les nuances, a rôdé autour du surnaturel plutôt que d'y pénétrer. Il a trouvé des effets terribles en demeurant sur la limite du possible, en jetant les âmes dans l'hésitation, dans l'effarement. Le lecteur indécis ne savait plus, perdait pied comme en une eau dont le fond manque à tout instant, se raccrochait brusquement au réel pour s'enfoncer encore tout aussitôt, et se débattre de nouveau dans une confusion pénible et enfiévrante comme un cauchemar. »

Parmi les analyses consacrées au fantastique en général ou à Maupassant fantastique, on citera Louis Forestier :

« Le fantastique, chez Maupassant, ce n'est pas l'intrusion brutale de phénomènes étranges dans la vie quotidienne [...]. Le fantastique, c'est tout ce qui rôde hors de l'homme et dans l'homme et le laisse, la conscience vidée par l'angoisse, sans solution, ni réaction. Le fantastique, c'est la débâcle de la conscience, son impuissance à rendre compte des grands pans d'inconnu qui s'abattent soudain [...]. Démence de Maupassant ? Plutôt implacable aventure d'une conscience qui reflète le monde, et lucide odyssée d'une écriture » (Introduction aux *Contes et Nouvelles*, Gallimard, Bibliothèque de la Pléiade, t. I, 1974, pp. LXI-LXII).

**• UN LIVRE / UN FILM**

Plusieurs des récits rassemblés ont été adaptés au cinéma, mais dans des versions parfois difficilement accessibles. Ainsi *La Nuit terrible* (1914) et *La Nuit d'un fou* (1915), films russes inspirés du *Horla*, *La Main*, court métrage muet de Édouard-Émile Violet (1919), ou, plus proche de nous, *La Chevelure*, court métrage d'Ado Kyrou, avec Michel Piccoli (1961), et *L'Étrange Histoire du juge Cordier* (*Diary of a mad man*), film américain de Reginald Le Borg, avec Vincent Price (1963). Ce dernier film intègre à l'histoire du « Horla » des éléments de « La Main d'écorché » et de « Le Modèle », qu'adapta Max Ophüls dans *Le Plaisir*.

On signalera également *Le Horla*, de Jean-Daniel Pollet, avec Laurent Terzieff, produit par les Laboratoires Sandoz (1966) et *Le Horla* de Pierre Carpentier, pour la série « Avis aux lecteurs » produite par le Centre national de documentation pédagogique (1987), sans doute l'adaptation la plus disponible.

À noter que quelques éléments de *La Chevelure* se retrouvent dans *Berthe*, téléfilm de Claude Santelli (1986).

# DOSSIER HISTORIQUE ET LITTÉRAIRE

REPÈRES ... 173
— Biographie ... 173
— La production littéraire française contemporaine des Contes ... 175
— L'histoire de la littérature fantastique ... 177
— Premières publications des Contes ... 179

LA LÉGENDE DU CONTEUR FOU ... 181

QU'EST-CE QUE LE FANTASTIQUE ? ... 185
— Quelques définitions générales ... 185
— Originalité du fantastique de Maupassant ... 185
— Le fantastique vu par Maupassant ... 186

LA PSYCHIATRIE DE L'ÉPOQUE : CHARCOT ... 191
— Un neurasthénique ... 191
— Un homme à tics ... 192
— Une malade « déparalysée » ... 195

LA PREMIÈRE VERSION DU *HORLA* ... 199

INDICATIONS BIBLIOGRAPHIQUES ET FILMOGRAPHIQUES ... 207

# REPÈRES BIOGRAPHIQUES

| | |
|---|---|
| 1850 | Naissance de Guy de Maupassant (à Fécamp ?). |
| 1856 | Naissance de son frère Hervé. |
| 1859-1862 | Etudes au lycée impérial Napoléon, à Paris. |
| 1862 | Séparation de ses parents. |
| 1863-1868 | Etudes à la maison religieuse d'Yvetot. |
| 1868-1869 | Etudes au lycée de Rouen. Baccalauréat. Faculté de droit de Paris. |
| 1870 | Mobilisé, affecté à l'Intendance, à Rouen. |
| 1871 | Parvient à se faire remplacer et quitte l'armée. |
| 1872 | Devient employé au ministère de la Marine. |
| 1873 | Découvre les plaisirs du canotage sur la Seine, fréquente Flaubert. |
| 1875 | Premier conte publié. Fréquente Mallarmé, Tourgueniev et Zola. |
| 1877 | Soigné pour une syphilis. |
| 1879 | Entre au ministère de l'Instruction publique. |
| 1880 | Troubles de l'œil droit ; mort de Flaubert ; quitte le ministère. Publie un recueil de poésies (*Des vers*), et la nouvelle *Boule-de-suif* dans *Les soirées de Médan*. Collabore au *Gaulois*. |
| 1881 | Collabore au *Gil Blas*. Reportage en Algérie. Publie *La maison Tellier*. |
| 1882 | Publie *Mademoiselle Fifi*. |
| 1883 | Publie *Une vie* en feuilleton puis en volume, *Clair de lune*, et le recueil de *Contes de la bécasse*. |
| 1885 | *Bel-Ami* en feuilleton puis en volume, et deux recueils : *Contes du jour et de la nuit*, *Monsieur Parent*. |
| 1886 | Première version du *Horla* dans le *Gil-Blas*. |

| | |
|---|---|
| 1887 | Un roman : *Mont-Oriol*, et un recueil : *Le Horla*, avec une seconde version de la nouvelle avec le même titre. |
| 1888 | Un autre roman : *Pierre et Jean*, avec une préface-manifeste. |
| 1889 | Son frère Hervé est interné et meurt peu après. Un roman : *Fort comme la mort*. |
| 1890 | Un roman, *Notre cœur*, et un recueil, *L'inutile beauté*. |
| 1891 | Les troubles de santé s'aggravent et il ne peut plus écrire le roman qu'il a commencé : *L'Angélus*. Succès d'une pièce au théâtre du Gymnase, *Musotte*, d'après la nouvelle *L'enfant*. |
| 1892 | Tentative de suicide ; internement à la clinique du D$^{r}$ Blanche à Passy. |
| 1893 | (6 juillet) Mort. |

# REPÈRES POUR LA PRODUCTION LITTÉRAIRE FRANÇAISE CONTEMPORAINE DES CONTES DE MAUPASSANT

| | |
|---|---|
| 1873 | *Le ventre de Paris*, de Zola |
| 1874 | *La tentation de Saint Antoine*, de Flaubert |
| 1875 | *La faute de l'abbé Mouret*, de Zola |
| 1877 | *L'assommoir*, de Zola<br>*La fille Elisa*, de Edmond de Goncourt<br>*Trois contes*, de Flaubert |
| 1882 | *A vau-l'eau*, de Huysmans |
| 1883 | *Contes cruels*, de Villiers de l'Isle-Adam |
| 1884 | *A rebours*, de Huysmans |
| 1885 | *Jadis et naguère*, de Verlaine<br>*Germinal*, de Zola<br>*Complaintes*, de Laforgue |
| 1886 | *L'œuvre*, de Zola<br>« Le manifeste du symbolisme », de Moréas<br>*Le calvaire*, de Mirbeau<br>*Les Illuminations*, *Une Saison en Enfer*, de Rimbaud |
| 1887 | *La terre*, de Zola |
| 1888 | *Germinie Lacerteux*, de Goncourt |
| 1889 | *La bête humaine*, de Zola<br>*Le disciple*, de Bourget |
| 1891 | *Là-bas*, de Huysmans |

## REPÈRES POUR L'HISTOIRE DE LA LITTÉRATURE FANTASTIQUE

| | |
|---|---|
| 1795 | *Le moine*, de M.G. Lewis |
| 1812-1816 | *Phantasus*, de L. Tieck |
| 1813-1817 | Contes et *Les élixirs du Diable*, d'E.T.A. Hoffmann |
| 1818 | *Frankenstein*, de M. Shelley |
| 1820 | *Melmoth le voyageur*, de C.R. Maturin |
| 1821-1822 | *Smarra ou les démons de la nuit*, et *Trilby* de Ch. Nodier |
| 1831 | *La peau de chagrin*, de H. de Balzac |
| 1832 | *Contes fantastiques et contes littéraires*, de J. Janin |
| 1837 | *La Vénus d'Ille*, de P. Mérimée |
| 1840 | *Le pied de momie*, de Th. Gautier |
| 1840-1845 | *Histoires extraordinaires*, d'E.A. Poe |
| 1852 | *Les récits d'un chasseur*, d'I. Tourgueniev |
| 1853-1855 | *Sylvie*, et *Aurélia*, de G. de Nerval |
| 1856 | *Avatar*, de Th. Gautier |
| 1869 | *Lokis*, de P. Mérimée |
| 1895 | *Contes d'un buveur d'éther*, de J. Lorrain |
| 1897 | *Dracula*, de B. Stoker<br>*L'homme invisible*, de H.G. Wells |
| 1898 | *Le tour d'écrou*, de H. James |
| 1916 | *La métamorphose*, de F. Kafka |
| 1944 | *Fictions*, de J.L. Borges |
| 1964 | *Les armes secrètes*, de J. Cortazar |

# PREMIÈRES PUBLICATIONS DES CONTES

*La main d'écorché* : publié dans *L'almanach lorrain de Pont-à-Mousson* pour 1875, sous le pseudonyme de Joseph Prunier ; Maupassant ne le reprit jamais dans un recueil.

*Sur l'eau* : avec pour titre *En canot* et sous le pseudonyme de Guy de Valmont, dans *Le Bulletin français*, le 10 mars 1876 ; repris avec le titre *Sur l'eau*, dans le recueil *La maison Tellier*, en 1881.

*La peur* : dans *Le Gaulois* du 23 octobre 1882 et dans la *Revue du dimanche* des 29 octobre et 5 novembre 1882 ; repris dans le recueil *Les Contes de la bécasse*, en 1883.

*Le loup* : dans *Le Gaulois* du 14 décembre 1882 ; repris dans le recueil *Clair de lune*, en 1884.

*Conte de Noël* : dans *Le Gaulois* du 25 décembre 1882 ; repris dans le recueil *Clair de lune*, en 1884.

*Auprès d'un mort* : dans le *Gil Blas* du 30 janvier 1883, sous le pseudonyme de Maufrigneuse ; repris dans divers recueils après la mort de l'auteur.

*Apparition* : dans *Le Gaulois* du 4 avril 1883 ; repris dans le recueil *Clair de lune*, en 1884.

*Lui ?* : dans le *Gil Blas* du 3 juillet 1883, sous le pseudonyme de Maufrigneuse ; repris dans le recueil *Les Sœurs Rondoli*, en 1884.

*La main* : dans *Le Gaulois* du 23 décembre 1883 ; repris dans le recueil *Contes du jour et de la nuit*, en 1885.

*La chevelure* : dans le *Gil Blas* du 13 mai 1884, sous le pseudonyme de Maufrigneuse ; repris dans le recueil *Toine*, en 1886.

*Le tic* : dans *Le Gaulois* du 14 juillet 1884 ; repris dans des recueils seulement après la mort de l'auteur.

*Un fou ?* : dans *Le Figaro* du 1er septembre 1884 ; n'a pas été repris en recueil par l'auteur.

*Lettre d'un fou* : dans le *Gil Blas* du 17 février 1885, sous le pseudonyme de Maufrigneuse ; n'a pas été repris en recueil par l'auteur.

*Un cas de divorce* : dans le *Gil Blas* du 31 août 1886 ; repris dans le recueil *L'inutile beauté* en 1890.

*Le Horla* : publié simultanément dans un recueil portant le même titre et dans *Les annales politiques et littéraires* des 29 mai, 5 et 12 juin 1887.

*La nuit* : dans le *Gil Blas* du 14 juin 1887 ; repris dans l'édition 1888 du recueil *Clair de lune*.

*L'homme de Mars* : dans la revue de fin d'année Paris-Noël 1887-1888, puis dans *Les annales politiques et littéraires* du 30 juin 1889 ; n'a pas été repris en recueil par l'auteur.

*Qui sait ?* : dans *L'écho de Paris* du 6 avril 1890 ; repris dans le recueil *L'inutile beauté*, la même année.

# LA LÉGENDE DU CONTEUR FOU

Très vite, dès que la nouvelle de l'internement de Maupassant fut connue, des journaux créèrent cette légende en republiant des contes de Maupassant, qu'ils avaient préalablement mis en relation avec cette « nouvelle à sensation ».

Ainsi, dès le 16 janvier 1892, alors que Maupassant est entré à la clinique du Dr Blanche le 7 janvier, et que les journalistes brodent sur l'événement de manière souvent venimeuse, le supplément du Figaro reproduit *La peur* (publiée en 1882), avec l'accroche publicitaire suivante :

*Notre malheureux confrère Guy de Maupassant est tombé victime de l'intensité de ses sensations. Il a décrit et analysé la folie bien avant d'être atteint du terrible mal ; il a aussi raconté et exprimé la peur, qui est une névrose et une variété de maladie mentale, dans cette nouvelle, écrite il y a une dizaine d'années, et qui est peut-être une des plus belles et des plus intenses de l'auteur du* Horla.

Le lendemain, le 17 janvier 1892, *L'Echo de Paris* reprend un extrait du *Horla*, qu'il introduit comme suit :

*Notre malheureux confrère, Guy de Maupassant, aujourd'hui interné dans une maison de santé, était depuis longtemps en proie à des hallucinations. Il avait l'hallucination de la peur, qui fait le sujet de plusieurs de ses nouvelles : il avait aussi des hallucinations autoscopiques, dans lesquelles il se voyait lui-même, en double. Quand il publia* Le Horla *— dont voici quelques pages —, les médecins y virent le pronostic certain de sa future aliénation mentale.*

Seize mois plus tard, le 25 juin 1893, alors que Maupassant n'a plus que onze jours à vivre, *Les annales politiques et littéraires* republient *La nuit*, qu'elles présentent ainsi :

*Nous retrouvons dans un vieux recueil ces pages étranges et peu connues, où l'on sent courir comme un premier frisson de folie. Quand il les fit paraître, le grand écrivain subissait déjà les sourdes atteintes du mal qui devait le priver de sa raison.*

Née sous la plume de journalistes voués au sensationnel, la légende est rapidement devenue une évidence : seul un homme déjà fou ou sur le point de le devenir pouvait avoir écrit ces contes fantastiques. Le même raisonnement fut appliqué à E.T.A. Hoffmann. Avec la même conséquence ou, qui sait ?, le même postulat : ce sont là des extravagances, qui ne sauraient intéresser des gens « normaux », mais tout au plus susciter leur compassion. En 1960, aucun extrait des contes fantastiques de Maupassant ne figure parmi les textes choisis et commentés du XIXe dans la célèbre collection Clarac. On peut seulement y lire que : *le sentiment progressif de sa déchéance, l'obsession de la mort, l'épouvante se traduisant en visions hallucinées avaient inspiré à Maupassant plusieurs contes, qui prennent ainsi la valeur d'un témoignage particulièrement cruel.*

La même année, Lagarde et Michard, dans leur anthologie, reproduisent la plus grande partie de *La Peur*, après avoir affirmé qu'*écrites surtout dans ses dernières années, les nouvelles de la peur et de l'angoisse sont inspirées par ses troubles nerveux, ses hallucinations, son inquiétude devant le mystère. Les aliénistes les considèrent comme de précieux témoignages sur les progrès de son mal.*

La littérature fantastique a été depuis réhabilitée et n'est plus considérée comme la production de grands malades. Mais pour être valorisée, elle doit quand même, aux yeux de certains, ne pas être étrangère à l'itinéraire biographique de son auteur. La solution trouvée par Armand Lanoux, le biographe de Maupassant, consiste à ne plus rapporter les contes fantastiques de celui-ci à l'ultime démence, mais à une hantise héréditaire :

*Quand il compose* Le Horla, *Maupassant est bien un grand artiste, en possession de tous ses moyens, non un drogué qui délire. Il ne copie pas un rêve donné, ce qui n'empêche pas que, comme celle de* Lui ?, *l'hallucination du Horla recoupe ses hallucinations personnelles. Nous avons affaire à une amplification littéraire du thème familier de l'étranger, qui hante Guy depuis sa jeunesse et qui a hanté avant lui son oncle Alfred. Le Doppelgänger, le double, est dans la coulisse (*Maupassant le bel ami, *Paris, Fayard, 1967, p. 244).*

Une autre solution consiste à garder la relation avec la folie finale, mais en la modernisant. Les contes de Maupassant ne sont plus alors l'œuvre d'un conteur fou, mais plutôt celle d'un conteur qui d'abord joue avec la folie, puis tente d'exorciser la menace qu'elle fait planer sur lui. L'œuvre d'un conteur qui ne veut pas devenir fou :

*Dans cette tragique histoire, il fut vraiment le dupeur dupé : il est probable qu'au départ, il chercha, comme on l'a affirmé, à fabriquer du fantastique à la manière d'Edgar Poe ou de Théophile Gautier (...) Pourtant, quoi qu'on ait pu dire et quoi qu'il ait pu lui-même penser, il est certain que Maupassant n'a pas* choisi *son fantastique, du moins pas celui-là, plus vécu qu'imaginé, auquel il a été livré, pieds et poings liés, qu'il a subi de la façon la plus contraignante* (Anne Richter).

La légende du conteur fou transforme désormais les contes de Maupassant en une hantise ou une Passion. Elle ne craint plus aucun démenti, car elle n'est qu'une manière — tellement familière — de dire que ces récits appartiennent à une littérature qui continue de nous toucher.

# QU'EST-CE QUE LE FANTASTIQUE ?

## I - Quelques définitions générales

P.-G. Castex : *Le fantastique (...) se caractérise (...) par une intrusion brutale du mystère dans le cadre de la vie réelle* (*Le conte fantastique en France de Nodier à Maupassant*, Paris, Corti, 1951, p. 8).

L. Vax : *Le récit fantastique (...) aime à nous présenter, habitant le monde réel où nous sommes, des hommes comme nous, placés soudainement en présence de l'inexplicable* (*L'art et la littérature fantastiques*, Paris, P.U.F., Que sais-je ? 1960, p. 5).

R. Caillois : *Tout le fantastique est rupture de l'ordre reconnu, irruption de l'inadmissible au sein de l'inaltérable légalité quotidienne* (*Au cœur du fantastique*, Paris, Gallimard, 1965, p. 161).

T. Todorov : *Le fantastique est fondé essentiellement sur une hésitation du lecteur — un lecteur qui s'identifie au personnage principal — quant à la nature d'un événement étrange. Cette hésitation peut se résoudre soit pour ce qu'on admet que l'événement appartient à la réalité ; soit pour ce qu'on décide qu'il est le fruit de l'imagination ou le résultat d'une illusion ; autrement dit, on peut décider que l'événement est ou n'est pas.* (*Introduction à la littérature fantastique*, Paris, Le Seuil, Poétique, p. 165)

I. Bessière : *le récit fantastique est une forme mixte du cas et de la devinette (...) ; c'est aussi, par la fausseté voilée, le lieu de la convergence de la narration thétique (roman des* realia*) et de la narration non thétique (merveilleux, conte de fées)* (*Le récit fantastique*, Paris, Larousse, Thèmes et textes, 1974, pp. 9 et 37).

## II - Originalité du fantastique de Maupassant

A. Lanoux : *Ce qui trouble, c'est l'intense crédibilité de la narration. Certes, elle est due à beaucoup d'art, mais non moins évidemment à AUTRE CHOSE. IL N'Y A PAS LÀ QUE DE*

*L'ART. Le récit est nourri par une foule de détails vrais éprouvés par Guy...* (*Maupassant le bel-ami*, Paris, Fayard, 1967, p. 248).

L. Forestier : *Le fantastique, chez Maupassant, ce n'est pas l'intrusion brutale de phénomènes étranges dans la vie quotidienne (...). Le fantastique, c'est tout ce qui rôde hors de l'homme et dans l'homme et le laisse, la conscience vidée par l'angoisse, sans solution, ni réaction. Le fantastique, c'est la débâcle de la conscience, son impuissance à rendre compte des grands pans d'inconnu qui s'abattent soudain (...) Démence de Maupassant ? Plutôt implacable aventure d'une conscience qui reflète le monde, et lucide odyssée d'une écriture* (*Introduction aux Contes et nouvelles*, Paris, Gallimard, La Pléiade, t. 1, 1974, pp. LXI-LXII).

R. Godenne : *En aucune façon, nous ne sommes plus dans le domaine de la vraisemblance et du réalisme comme dans les nouvelles de Mérimée. Tandis que ce dernier prend ses distances vis-à-vis de l'aventure rapportée, soit par l'ironie, soit par le subterfuge de l'histoire, Maupassant joue franchement le jeu du fantastique et s'efforce — ce n'est pas pour rien que les nouvelles sont écrites à la première personne — de nous faire croire à la réalité de l'événement inexplicable qu'il relate* (*La nouvelle française*, P.U.F., SUP, 1974, p. 68).

M.-C. Bancquart : *Maupassant se place dans la lignée des auteurs qui eurent recours à un fantastique intérieur, comme Théophile Gautier dans* La pipe d'opium, *Mérimée dans le conte curieusement sexuel de* Djoumâne, *ou Charles Nodier dans* Smarra. *Le saut dans l'imaginaire est toujours accompli par l'esprit même des personnages de Maupassant, et dans leur esprit. Cela ne prête pas à discussion : une obsession n'est ni vraie ni fausse en tant que telle, elle* est. *Toute la question est de la décrire assez fortement pour en inspirer la contagion au lecteur* (*Maupassant conteur fantastique*, Minard, Archives des lettres modernes, 1976, p. 48).

## III - Le fantastique vu par Maupassant

Il s'agit d'un article publié dans *Le Gaulois*, le 7 octobre 1883, et que nous citons dans son intégralité.

### LE FANTASTIQUE

« Lentement, depuis vingt ans, le surnaturel est sorti de nos âmes. Il s'est évaporé comme s'évapore un parfum quand la bouteille est débouchée. En portant l'orifice aux narines et en aspirant longtemps, longtemps, on retrouve à peine une vague senteur. C'est fini.

Nos petits-enfants s'étonneront des croyances naïves de leurs pères à des choses si ridicules et si invraisemblables. Ils ne sauront jamais ce qu'était autrefois, la nuit, la peur du mystérieux, la peur du surnaturel. C'est à peine si quelques centaines d'hommes s'acharnent encore à croire aux visites des esprits, aux influences de certains êtres ou de certaines choses, au somnambulisme lucide, à tout le charlatanisme des spirites. C'est fini.

Notre pauvre esprit inquiet, impuissant, borné, effaré par tout effet dont il ne saisissait pas la cause, épouvanté par le spectacle incessant et incompréhensible du monde a tremblé pendant des siècles sous des croyances étranges et enfantines qui lui servaient à expliquer l'inconnu. Aujourd'hui, il devine qu'il s'est trompé, et il cherche à comprendre, sans savoir encore. Le premier pas, le grand pas est fait. Nous avons rejeté le mystérieux qui n'est plus pour nous que l'inexploré.

Dans vingt ans, la peur de l'irréel n'existera plus même dans le peuple des champs. Il semble que la Création ait pris un autre aspect, une autre figure, une autre signification qu'autrefois. De là va certainement résulter la fin de la littérature fantastique.

Elle a eu, cette littérature, des périodes et des allures bien diverses, depuis le roman de chevalerie, les *Mille et une Nuits*, les poèmes héroïques, jusqu'aux contes de fées et aux troublantes histoires d'Hoffmann et d'Edgar Poe.

Quand l'homme croyait sans hésitation, les écrivains fantastiques ne prenaient point de précautions pour dérouler leurs surprenantes histoires. Ils entraient, du premier coup, dans l'impossible et y demeuraient, variant à l'infini les combinaisons invraisemblables, les apparitions, toutes les ruses effrayantes pour enfanter l'épouvante.

Mais, quand le doute eut pénétré enfin dans les esprits, l'art est devenu plus subtil. L'écrivain a cherché les nuances, a rôdé autour du surnaturel plutôt que d'y pénétrer. Il a trouvé des effets terribles en demeurant sur la limite du possible, en jetant les âmes dans l'hésitation, dans l'effarement. Le lecteur indécis ne savait plus, perdait pied comme en une eau dont le fond manque à tout instant, se raccrochait brusquement au réel pour s'enfoncer encore tout aussitôt, et se débattre de nouveau dans une confusion pénible et enfiévrante comme un cauchemar.

L'extraordinaire puissance terrifiante d'Hoffmann et d'Edgar Poe vient de cette habileté savante, de cette façon particulière de coudoyer le fantastique et de troubler, avec des faits naturels où reste pourtant quelque chose d'inexpliqué et de presque impossible.

*
* *

Le grand écrivain russe, qui vient de mourir, Ivan Tourgueneff, était à ses heures, un conteur fantastique de premier ordre.

On trouve, de place en place, en ses livres, quelques-uns de ces récits mystérieux et saisissants qui font passer des frissons dans les veines. Dans son œuvre pourtant, le surnaturel demeure toujours si vague, si enveloppé qu'on ose à peine dire qu'il ait voulu l'y mettre. Il raconte plutôt ce qu'il a éprouvé, comme il l'a éprouvé, en laissant deviner le trouble de son âme, son angoisse devant ce qu'elle ne comprenait pas, et cette poignante sensation de la peur inexplicable qui passe, comme un souffle inconnu parti d'un autre monde.

Dans son livre : *Etranges Histoires*, il décrit d'une façon si singulière, sans mots à effet, sans expressions à surprise, une visite faite par lui, dans une petite ville, à une sorte de somnambule idiot, qu'on halète en le lisant.

Il raconte dans la nouvelle intitulée *Toc Toc Toc*, la mort d'un imbécile, orgueilleux et illuminé, avec une si prodigieuse puissance troublante qu'on se sent malade, nerveux et apeuré en tournant les pages.

Dans un de ses chefs-d'œuvre : *Trois Rencontres*, cette subtile et insaisissable émotion de l'inconnu inexpliqué, mais possible, arrive au plus haut point de la beauté et de la grandeur littéraire. Le sujet n'est rien. Un homme trois fois, sous des cieux différents, en des régions éloignées l'une de l'autre, en des circonstances très diverses, a entendu, par hasard, une voix de femme qui chantait. Cette voix l'a envahi comme un ensorcellement. A qui est-elle, il ne le sait pas. Rien de plus. Mais tout le mystérieux adorable du rêve, tout l'au-delà de la vie, tout l'art mystique enchanteur qui emporte l'esprit dans le ciel de la poésie, passent dans ces pages profondes et claires, si simples, si complexes.

Quel que fût cependant son pouvoir d'écrivain, c'est en racontant, de sa voix un peu épaisse et hésitante, qu'il donnait à l'âme la plus forte émotion.

Il était assis, enfoncé dans un fauteuil, la tête pesant sur les épaules, les mains mortes sur les bras du siège, et les genoux pliés à angle droit. Ses cheveux, d'un blanc éclatant, lui tombaient de la tête sur le cou, se mêlant à la barbe blanche qui lui tombait sur la poitrine. Ses énormes sourcils blancs faisaient un bourrelet sur ses yeux naïfs, grands ouverts et charmants. Son nez, très fort, donnait à la figure un caractère un peu gros, que n'atténuait qu'à peine la finesse du sourire et de la bouche. Il vous regardait fixement et parlait avec lenteur, en cherchant un peu le mot ; mais il le trouvait toujours juste, ou plutôt, unique. Tout ce qu'il disait faisait image d'une façon saisissante, prenait l'esprit comme un oiseau de proie prend avec ses serres. Et il mettait dans ses récits un grand horizon, ce que les peintres appellent « de l'air », une largeur de pensée infinie en même temps qu'une précision minutieuse.

Un jour, chez Gustave Flaubert, à la nuit tombante, il nous raconta ainsi l'histoire d'un garçon qui ne connaissait pas son père, et qui le rencontra, et qui le perdit et le retrouva sans être sûr que ce fût lui, en des circonstances possibles mais surprenantes, inquiétantes, hallucinantes, et qui le découvrit enfin, noyé sur une grève déserte et sans limite, — avec un tel pouvoir de terreur inexplicable, que chacun de nous rêva ce récit bizarre.

Des faits très simples prenaient parfois, en son esprit et en passant par ses lèvres, un caractère mystérieux. Il nous dit, un soir, après dîner, sa rencontre avec une jeune fille, dans un hôtel, et l'espèce de fascination que cette enfant exerça sur lui dès la première seconde ; il tâcha même de nous faire comprendre les causes de cette séduction, et il nous parla de la façon qu'elle avait d'ouvrir les yeux sans les fixer d'abord, et de ramener ensuite d'un mouvement très lent le regard sur les personnes. Il racontait le soulèvement de ses paupières, celui de la prunelle, le pli des sourcils, avec une si étrange netteté de souvenir qu'il nous fascina presque par l'évocation de cet œil inconnu. Et ce simple détail devenait plus inquiétant dans sa bouche que s'il eût dit quelque histoire terrible.

Le charme exquis de sa parole devenait étrangement pénétrant dans les histoires d'amours. Il a écrit, je crois, celle qu'il nous a dite d'une façon si attendrissante.

Il chassait, en Russie, et il reçut l'hospitalité dans un moulin. Comme le pays lui plaisait, il se résolut à y rester quelque temps. Il aperçut bientôt que la meunière le regardait, et, après quelques jours d'une galanterie rustique et délicate, il devint son amant. C'était une belle fille blonde, propre, fine, mariée à un rustre. Elle avait dans le cœur cette instinctive distinction des femmes qui comprennent par intuition toutes les choses subtiles du sentiment, sans avoir jamais rien appris.

Il nous conta leurs rendez-vous dans le grenier à paille, que secouait d'un tremblement continu la grosse roue toujours tournant, leurs baisers dans la cuisine pendant que, penchée devant le feu, elle faisait le dîner des hommes, et le premier coup d'œil qu'elle avait pour lui quand il rentrait de la chasse, après un jour de courses dans les hautes herbes.

Mais il dut aller passer une semaine à Moscou, et il demanda à son amie ce qu'il fallait lui rapporter de la ville. Elle ne voulut rien. Il lui offrit une robe, des bijoux, des parures, une fourrure, ce grand luxe des Russes.

Elle refusa.

Il se désolait, ne sachant quoi lui proposer. Il lui fit enfin comprendre qu'elle lui causerait un gros chagrin en refusant. Alors elle dit :

— Eh bien ! vous m'apporterez un savon.

— Comment, un savon ! Quel savon ?

— Un savon fin, un savon aux fleurs, comme ceux des dames de la ville.

Il était fort surpris, ne comprenant guère la raison de ce goût étrange. Il demanda :

— Mais pourquoi veux-tu justement un savon ?

— C'est pour me laver les mains et qu'elles sentent bon, et que vous me les baisiez comme vous faites aux dames.

Il disait cela d'une telle façon, ce grand homme tendre et bon, qu'on avait envie de pleurer. »

# LA PSYCHIATRIE DE L'ÉPOQUE : CHARCOT

*Né en 1825, J.-M. Charcot devint médecin de l'Hospice de la Salpêtrière en 1862. En 1870, il commença ses travaux sur l'hystérie et en 1878 ses recherches sur l'hypnotisme, contestées à partir de 1884 par l'Ecole de Nancy (Bernheim et Liebault). Il mourut en 1893.*

*Ses « leçons » du mardi à la Salpêtrière connurent un grand succès. Elles furent notamment suivies, en 1885, par un jeune Autrichien qui s'appelait Freud, et de 1884 à 1886 par Maupassant. Elles ont été transcrites et les trois extraits qui suivent permettent de comprendre le profit que pouvait en tirer un auteur de récits fantastiques.*

## UN NEURASTHÉNIQUE

Il y a une catégorie de malades que je voudrais bien interroger devant vous, mais je n'aime pas beaucoup le faire, parce qu'ils sont insupportables, et, cependant, ils forment la grande majorité des névropathes que je vois en ville. Ce sont les neurasthéniques. Ils rédigent des mémoires sur leur affection, ils se présentent à vous avec un cahier à la main en vous disant qu'ils ont préparé des notes, que la lecture n'en sera pas longue, et le plus souvent elle n'en finit pas.

Un malade est introduit ; il a, en effet, à la main des notes qu'il présente à M. Charcot.

M. CHARCOT : Vous étiez employé de bureau à Limoges, quel âge avez-vous ?

*Le malade* : Vingt-neuf ans.

M. CHARCOT : Comment se fait-il que vous soyez venu de Limoges à Paris ?

*Le malade* : J'ai eu l'occasion de venir à Paris.

M. CHARCOT : Vous êtes très éprouvé par votre maladie ?

*Le malade* : Elle ne m'empêche pas de travailler.

M. CHARCOT, parcourant le manuscrit : « Symptômes ressentis pendant le mois de juillet, lourdeur de tête... » (Au malade :) A quel endroit de la tête ?

*Le malade* : Au cervelet.
M. CHARCOT : Remarquez qu'il a dit lourdeur et non pas douleurs.
*Le malade* : Quand je monte un escalier, il me semble que j'ai des picotements dans le cervelet. Je ressens une sorte de pression autour du crâne ; quelquefois, elle monte et cela me tient dans les yeux.
M. CHARCOT : C'est ce que nous appelons le casque, on distingue la partie postérieure du casque, le sommet du casque, et quelquefois, lorsqu'il est bien complet, la visière. Le malade n'a alors de libre que la face. Il ressent sur toutes les parties atteintes un sentiment de pression et c'est une sensation extrêmement pénible. Aussi, si on peut dire que ces malheureux neurasthéniques sont assommants, il faut bien reconnaître aussi qu'ils sont assommés. (Au malade :) Etes-vous marié ?
*Le malade* : Oui, Monsieur.
M. CHARCOT : Que deviennent chez vous les fonctions sexuelles ?
*Le malade* : Elles sont affaiblies.
M. CHARCOT : C'est un cas fréquent, en général, les neurasthéniques sont atteints de faiblesse sexuelle ; il peut arriver qu'ils aient des pertes séminales involontaires, cependant ce n'est pas un phénomène essentiel de la maladie ; dans le coït, l'émission séminale est trop prompte. (Au malade :) Vous avez la tête vide ? Quand vous travaillez, les idées ne viennent pas ?
*Le malade* : J'ai la tête lourde seulement.
M. CHARCOT : Quel est votre genre de travail ? Vous êtes dans un bureau, qu'y faites-vous ?
*Le malade* : Des écritures, quelquefois des chiffres.
M. CHARCOT : Quand vous calculez, cela vous fatigue.
Il y a de ces neurasthéniques qui croient avoir un ramollissement cérébral. En général, en fait de sensation pénible, c'est toujours de pression ou de lourdeur de tête qu'ils parlent (...) (2e leçon).

### UN HOMME À TICS

*Malade (homme âgé de soixante-trois ans)*

M. CHARCOT : Quel âge avez-vous ? Quelle est votre profession ?
*Le malade* : J'ai soixante-trois ans, je suis courtier en fonds de boulangerie.
M. CHARCOT : Vous voyez, Messieurs, de quoi il s'agit. Vous reconnaissez comment, par l'action combinée du trapèze et du sterno-cléido-mastoïdien, l'occiput, chez ce malade, incline en arrière, vers l'épaule droite en même temps que, le menton s'éle-

vant vers la gauche, la face regarde à gauche et en haut ; cette attitude est maintenue en quelque sorte d'une façon permanente à un certain degré, mais elle s'exagère de temps à autre sous forme de paroxysme pour s'atténuer momentanément après chaque secousse. Ces secousses, remarquez-le bien, ne sont pas brusques, comme électriques ; elles mettent, au contraire, un temps relativement assez long à se produire. En ce moment, les secousses sont très nombreuses et très intenses, c'est vraisemblablement une conséquence de l'émotion que le malade éprouve en ce moment.

Quoi qu'il en soit, vous avez reconnu qu'il s'agit ici de l'affection décrite sous les noms de spasme fonctionnel du sterno-mastoïdien (Desnos), crampe fonctionnelle du cou (Féré), hyperkinésie de l'accessoire de Willis (forme clonique) — Au malade : Depuis quand tournez-vous ainsi la tête ?

*Le malade* : Cela m'est venu tout d'un coup, il y a huit mois, après un déjeuner un peu copieux ; j'avais eu auparavant de grands chagrins : j'avais perdu 20 000 fr., toutes mes économies.

*La femme du malade* : Il a depuis deux mois, en plus, des crises nerveuses, il s'excite, il crie, il ne dort pas.

M. CHARCOT : Je vous ferai remarquer que, du côté droit, le muscle sterno-mastoïdien se dessine par un relief considérable surtout pendant les paroxysmes, mais que, même alors qu'il est à peu près complètement au repos, il est beaucoup plus volumineux que celui du côté gauche. En somme, le sterno-mastoïdien qui fonctionne à l'excès est hypertrophié, tandis que celui du côté opposé est, au contraire, atrophié. Il est de règle, je crois, que les choses soient ainsi dans les cas de ce genre. Amussat avait déjà signalé, en 1834, cette hypertrophie du sterno-mastoïdien spasmodiquement affecté, mais je crois que c'est à M. Vigouroux qu'on doit d'avoir fait ressortir cette particularité et d'avoir fait connaître que, dans les cas de ce genre, le muscle correspondant du côté opposé, en d'autres termes, le sterno-cléido-mastoïdien qui n'est pas atteint de spasme, présente à peu près toujours une atrophie absolue très marquée. J'aurai sans doute l'occasion de vous faire reconnaître l'intérêt de cette remarque.

Je signalerai que, chez notre homme, le spasme n'est point borné aux muscles sterno-mastoïdiens, au trapèze du côté droit ; vous voyez, en effet, que, outre les mouvements de torsion du cou de droite à gauche, il se produit, à un moment donné chez notre homme, des mouvements de la bouche et des lèvres qui rappellent ce que l'on voit chez certains animaux, le lapin, par exemple. Ces mouvements associés au spasme combiné du sterno ou du trapèze ne sont pas tout à fait rares dans l'espèce et je connais au moins un cas où les mouvements des lèvres, observés chez notre malade, étaient remplacés par le mouvement d'un bras.

Il ne faut pas confondre ce spasme intermittent ou à renforcements, quels qu'en soient les accompagnements, avec les tics. Aussi le terme de tic rotatoire ou convulsif qu'on emploie quelquefois pour désigner ce genre d'affection, me paraît-il très peu approprié. Les tics, qui se distinguent d'ailleurs cliniquement par des secousses beaucoup plus brusques, comme électriques, ont, comme vous le savez par nos études antérieures, un tout autre pronostic et une tout autre signification. — Au malade : Est-ce que votre contorsion augmente quand vous marchez ?
*Le malade* : Quand j'ai marché, je ne puis plus me tenir debout, je suis forcé de m'arrêter tant le spasme est fort. Quand je suis assis tranquillement, j'en souffre moins, moins encore couché. Quand je me lève le matin, le spasme est beaucoup moins fort.
M. CHARCOT : Remarquez encore une fois que ce n'est pas ici un torticolis permanent. Il y a des moments où le relâchement est presque complet et où le cou peut se redresser complètement sous l'influence de la volonté. — Au malade : Essayez de résister au spasme.
Vous voyez, il y réussit pour un instant, mais presque aussitôt après, le spasme reprend et la position antérieure se reproduit telle quelle. — Au malade : Dormez-vous ?
*Le malade* : Non, Monsieur, depuis deux mois j'ai des insomnies et, toute la nuit, je suis tourmenté par mon spasme.

M. CHARCOT : Messieurs, naguère encore, lorsque les spasmes de ce genre se présentaient à moi, j'étais toujours affecté au plus haut point, sachant, par l'expérience d'abord, que la maladie résistait à tous les moyens employés ; cependant aujourd'hui, éclairé par de nouvelles observations, je suis un peu moins pessimiste. J'ai vu, en effet, dans ce service, sous l'influence du traitement imaginé par M. Vigouroux et de quelques tentatives de massage méthodique faites par M. Gautiez, des malades de ce genre, alors même que l'affection était très accentuée et de date ancienne, s'amender remarquablement ou même guérir. Il s'agit tout simplement de limiter les excitations électriques, ou le massage, aux muscles non affectés par le spasme, aux muscles atrophiés, par conséquent. J'ai vu, je le répète, par l'intervention de cette médication fort simple, se produire des guérisons ou des améliorations que je considérais comme inespérées. Voici une bonne occasion qui se présente d'éprouver une fois de plus la méthode. Nous allons, en conséquence, engager le malade à rester parmi nous et nous le mettrons en traitement immédiatement. En dehors de ce traitement, je ne connais rien qui vaille et je

puis dire, pour l'avoir constaté, que la section quelquefois pratiquée du spinal n'amène, en général, que des résultats temporaires. — Au malade : Rappelez-moi donc quelle est votre profession ?
*Le malade* : Je suis courtier en fonds de boulangerie.
M. CHARCOT : Vous avez eu des ennuis, des chagrins ?
*Le malade* : Beaucoup, de très vifs.
M. CHARCOT : Aviez-vous eu autrefois des maladies nerveuses autres que celles-ci ?
*Le malade* : Jamais, Monsieur.
M. CHARCOT : Quels sont les ennuis que vous avez éprouvés ?
*Le malade* : J'ai perdu beaucoup d'argent, tout mon avoir.
M. CHARCOT : Tout d'un coup ?
*Le malade* : Dans l'espace de dix-huit mois, deux ans ; j'ai fait de mauvais placements. Pendant cette période de deux ans qui a précédé ma maladie, je ne mangeais plus, je ne pouvais plus dormir. Pendant les mois qui ont précédé ma maladie, j'éprouvais dans le cou une sensation de chatouillement. On me frictionna sans produire de soulagement. Comme je vous l'ai dit, le spasme a débuté, un soir, tout à coup, il y a huit mois de cela, après un déjeuner copieux, où je ne m'étais pas enivré cependant ; j'ai senti, en rentrant chez moi, des mouvements de la tête semblables à ceux d'aujourd'hui, mais moins intenses, plus rares. Au commencement, cela me prenait seulement quand je me levais de ma chaise et que je marchais. Pendant un temps, après cela, les secousses ont été si fortes que je ne pouvais plus marcher ; menacé de tomber à chaque instant, je me suis couché pendant un temps ; un vésicatoire à la nuque, appliqué par le conseil d'un médecin, n'a fait qu'empirer le mal ; le bromure n'y a rien fait, j'ai été forcé de suspendre mes occupations.
*La femme du malade* : Cela lui a pris souvent, même en dormant.
M. CHARCOT : En êtes-vous bien sûre ?
*La femme du malade* : Oui, Monsieur, même en dormant ; tandis qu'autrefois cela lui prenait seulement dans de certains moments, quand il se mettait à marcher (...) (22e leçon).

### UNE MALADE PARALYSÉE ARTIFICIELLEMENT (grand hypnotisme) ET « DÉPARALYSÉE »

Mais il s'agit maintenant d'envisager le côté thérapeutique. Eh bien ! ce que nous avons fait chez notre somnambule, il s'agit de le défaire. Veuillez bien suivre tous les détails de l'opération et toutes les circonstances qui vont se dessiner successivement, car elles seront, pour nous, très instructives. — A la malade : Remuez votre main gauche, vos doigts ; vous le pouvez, ils ne sont plus paralysés.

*La malade* : C'est facile à dire.
M. CHARCOT : Dépêchez-vous, ne nous faites pas languir.
*La malade* : Ah bien oui !
M. CHARCOT, aux auditeurs : Veuillez remarquer qu'elle regarde successivement sa main droite (non paralysée) à laquelle elle imprime les mouvements prescrits et la main gauche paralysée qui en ce moment reste encore immobile. — A la malade : Qu'est-ce qui vous manque pour mouvoir vos doigts ?
*La malade* : Je ne peux plus remuer mes doigts. Je ne sais plus les remuer.
M. CHARCOT, aux auditeurs : Remarquez cette réponse : « Je ne sais plus. » Remarquez que la malade continue à regarder les mouvements qu'elle imprime à sa main droite, comme si cela devait l'aider à apprendre de nouveau comment il faut faire pour remuer la main gauche. Je vous recommande, je le répète, cette sorte de pantomime que je crois très instructive.
*La malade*, au bout de quelques minutes de vains efforts : Ça commence à venir.
M. CHARCOT : En effet, vous remarquez qu'il se produit quelques mouvements volontaires dans le pouce de la main paralysée. Il n'y a que le premier pas qui coûte, les choses vont aller vite maintenant ; il s'agit seulement d'encourager la malade ou mieux d'agir sur son esprit impérativement. — A la malade : Allons, remuez les autres doigts, le poignet, le bras ; portez votre main sur votre tête, serrez-moi la main. — Aux auditeurs : Vous voyez que la paralysie motrice a disparu, et je vous fais remarquer, chemin faisant, à chaque progrès accompli, que la partie du membre qui a repris le mouvement a récupéré, au même moment, les divers modes de la sensibilité.
Voilà donc notre sujet délivré de sa paralysie. Que s'est-il passé là ? Nous nous sommes efforcé de réveiller, chez la malade, par suggestion, la représentation mentale des mouvements du membre gauche un instant obnubilée, en conséquence de la suggestion antérieure produite par le choc et vous avez vu de quelle façon le sujet a lui-même contribué à déterminer ce résultat. Instinctivement, sous l'action de nos intimations, elle a travaillé à raviver chez elle, à l'aide de mouvements imprimés à son membre non paralysé, à la fois l'image visuelle et l'image motrice nécessaires pour mettre en jeu dans le membre paralysé les mouvements prescrits. D'après cela, il vous paraîtra légitime de dire que c'est « psychiquement » que nous avons agi sur le sujet pour le paralyser et que c'est « psychiquement » aussi que nous avons agi — passez-moi le mot dont je vais me servir — pour le « déparalyser ».
Maintenant, je vais agir pour faire cesser la paralysie du membre

inférieur, comme je viens d'agir pour le membre supérieur. Ici, le retour de la sensibilité coïncide, vous le voyez comme tout à l'heure, avec le retour du mouvement.
Remarquez à cette occasion, une fois de plus, comment, sous le coup de mes intimations répétées : « Allons, remuez les doigts du pied, remuez le pied », la malade commence par faire mouvoir le pied non paralysé et à considérer attentivement ces mouvements, comme si cela devait servir à lui réapprendre comment il faut faire pour mouvoir le pied paralysé.
Vous voyez, d'un autre côté, avec quelle facilité on guérit les sujets, placés en somnambulisme, des paralysies artificiellement produites. Il ne faut pas vous attendre à obtenir, en général, des résultats aussi prompts, aussi décisifs dans les cas de paralysie hystérique non artificielle qui s'offrent à nous dans la clinique. D'ailleurs, même dans les cas de paralysie artificielle, il peut se présenter, ainsi que nous l'avons plusieurs fois observé, quelques difficultés dans la déparalysation lorsque l'on a un peu tardé à intervenir. La chose est si nette que jamais je n'ai osé laisser durer au-delà de quelques heures les paralysies ainsi produites, dans la crainte de ne plus être, après ce temps, le maître de la situation.
La malade somnambulisée est réveillée et elle quitte la salle. Le malade, ajusteur mécanicien, dont il a été question tout à l'heure est introduit (18e leçon).
(D'après *Leçons du mardi à la Salpêtrière*, de J.-M. Charcot, notes de cours de MM. Blin, Charcot et Colin, Paris, CEPL, Les classiques de la psychologie, 1974.)

# LA PREMIÈRE VERSION DU *HORLA*

Le Horla *est le conte fantastique de Maupassant le plus célèbre et il a fait l'objet de nombreuses études récentes. Le nom* horla *a stimulé l'ingéniosité explicative des critiques. Qu'on en juge plutôt : il viendrait d'*orla, *génitif d'*oriol *en russe, de* hors-là, *d'une anagramme de Lahor, pseudonyme de Cazalis, un médecin ami de Maupassant, de* horzain *ou* horsain, *signifiant* étranger *en dialecte normand, de* Horlaville, *nom fréquent en Normandie, d'une anagramme de* choléra, *de l'alternance vocalique* o/a, *chère à Maupassant...*

*Quant à l'histoire, on lui a aussi trouvé des sources possibles :* Le Juif errant *d'Eugène Sue,* Les mille et un fantômes *d'Alexandre Dumas... Dans son* Journal, *Goncourt rapporte que, selon Marcel Schwob, l'anecdote aurait été fournie à Maupassant par Porto-Riche. On a aussi prétendu que Charcot l'aurait racontée à Hennique, qui, à son tour, l'aurait racontée à Maupassant. D'autres ont affirmé que ce dernier s'était inspiré d'expériences personnelles d'autoscopie.*

*Ce qui est sûr, c'est que le récit que nous avons présenté ici est celui publié dans le recueil intitulé* Le Horla *en 1887. Maupassant en avait fait paraître une première version dans* Gil Blas, *le 26 octobre 1886. On peut aisément mesurer l'écart entre les deux textes, et, par là même, apprécier l'élaboration dont procède la version définitive chez un écrivain à la plume réputée rapide, sinon facile, en lisant aussi la première version de 1886, que nous reproduisons in extenso :*

## LE HORLA

Le docteur Marrande, le plus illustre et le plus éminent des aliénistes, avait prié trois de ses confrères et quatre savants, s'occupant de sciences naturelles, de venir passer une heure chez lui, dans la maison de santé qu'il dirigeait, pour leur montrer un de ses malades.

Aussitôt que ses amis furent réunis, il leur dit : « Je vais vous soumettre le cas le plus bizarre et le plus inquiétant que j'aie jamais rencontré. D'ailleurs, je n'ai rien à vous dire de mon client. Il parlera lui-même. » Le docteur alors sonna. Un domestique fit entrer un homme. Il était fort maigre, d'une maigreur de cadavre, comme sont maigres certains fous que ronge une pensée, car la pensée malade dévore la chair du corps plus que la fièvre ou la phtisie.

Ayant salué et s'étant assis, il dit :

— Messieurs, je sais pourquoi on vous a réunis ici et je suis prêt à vous raconter mon histoire, comme m'en a prié mon ami le docteur Marrande. Pendant longtemps il m'a cru fou. Aujourd'hui il doute. Dans quelques temps, vous saurez tous que j'ai l'esprit aussi sain, aussi lucide, aussi clairvoyant que les vôtres, malheureusement pour moi, et pour vous, et pour l'humanité tout entière.

Mais je veux commencer par les faits eux-mêmes, par les faits tout simples. Les voici :

J'ai quarante-deux ans. Je ne suis pas marié, ma fortune est suffisante pour vivre avec un certain luxe. Donc j'habitais une propriété sur les bords de la Seine, à Biessard, auprès de Rouen. J'aime la chasse et la pêche. Or, j'avais derrière moi, au-dessus des grands rochers qui dominaient ma maison, une des plus belles forêts de France, celle de Roumare, et devant moi un des plus beaux fleuves du monde.

Ma demeure est vaste, peinte en blanc à l'extérieur, jolie, ancienne, au milieu d'un grand jardin planté d'arbres magnifiques et qui monte jusqu'à la forêt, en escaladant les énormes rochers dont je vous parlais tout à l'heure.

Mon personnel se compose, ou plutôt se composait d'un cocher, un jardinier, un valet de chambre, une cuisinière et une lingère qui était en même temps une espèce de femme de charge. Tout ce monde habitait chez moi depuis dix à seize ans, me connaissait, connaissait ma demeure, le pays, tout l'entourage de ma vie. C'étaient de bons et tranquilles serviteurs. Cela importe pour ce que vais dire.

J'ajoute que la Seine, qui longe mon jardin, est navigable jusqu'à Rouen, comme vous le savez sans doute ; et que je voyais passer chaque jour de grands navires soit à voiles, soit à vapeur, venant de tous les coins du monde.

Donc, il y a eu un an l'automne dernier, je fus pris tout à coup de malaises bizarres et inexplicables. Ce fut d'abord une sorte d'inquiétude nerveuse qui me tenait en éveil des nuits entières, une telle surexcitation que le moindre bruit me faisait tressaillir. Mon humeur s'aigrit. J'avais des colères subites inexplicables. J'appelai un médecin qui m'ordonna du bromure de potassium et des douches.

Je me fis donc doucher matin et soir, et je me mis à boire du bromure. Bientôt, en effet, je recommençai à dormir, mais d'un sommeil plus affreux que l'insomnie. A peine couché, je fermais les yeux et m'anéantissais. Oui, je tombais dans le néant, dans un néant absolu, dans une mort de l'être entier dont j'étais tiré brusquement, horriblement par l'épouvantable sensation d'un poids écrasant sur ma poitrine, et d'une bouche qui mangeait ma vie, sur ma bouche. Oh ! ces secousses-là ! je ne sais rien de plus épouvantable.

Figurez-vous un homme qui dort, qu'on assassine, et qui se réveille avec un couteau dans la gorge ; et qui râle couvert de sang, et qui ne peut plus respirer, et qui va mourir, et qui ne comprend pas — voilà !

Je maigrissais d'une façon inquiétante, continue ; et je m'aperçus soudain que mon cocher, qui était fort gros, commençait à maigrir comme moi.

Je lui demandai enfin :

— Qu'avez-vous donc, Jean ? Vous êtes malade.

Il répondit :

— Je crois bien que j'ai gagné la même maladie que Monsieur. C'est mes nuits qui perdent mes jours.

Je pensai donc qu'il y avait dans la maison une influence fiévreuse due au voisinage du fleuve et j'allais m'en aller pour deux ou trois mois, bien que nous fussions en pleine saison de chasse, quand un petit fait très bizarre, observé par hasard, amena pour moi une telle suite de découvertes invraisemblables, fantastiques, effrayantes, que je restai.

Ayant soif un soir, je bus un demi-verre d'eau et je remarquai que ma carafe, posée sur la commode en face de mon lit, était pleine jusqu'au bouchon de cristal.

J'eus, pendant la nuit, un de ces sommeils affreux dont je viens de vous parler. J'allumai ma bougie, en proie à une épouvantable angoisse, et, comme je voulus boire de nouveau, je m'aperçus avec stupeur que ma carafe était vide. Je n'en pouvais croire mes yeux. Ou bien on était entré dans ma chambre, ou bien j'étais somnambule.

Le soir suivant, je voulus faire la même épreuve. Je fermai donc ma porte à clef pour être certain que personne ne pourrait pénétrer chez moi. Je m'endormis et je me réveillai comme chaque nuit. On avait bu toute l'eau que j'avais vue deux heures plus tôt.

*Qui* avait bu cette eau ? Moi, sans doute, et pourtant je me croyais sûr, absolument sûr, de n'avoir pas fait un mouvement dans mon sommeil profond et douloureux.

Alors j'eus recours à des ruses pour me convaincre que je

n'accomplissais point ces actes inconscients. Je plaçai un soir, à côté de la carafe, une bouteille de vieux bordeaux, une tasse de lait dont j'ai horreur, et des gâteaux au chocolat que j'adore.

Le vin et les gâteaux demeurèrent intacts. Le lait et l'eau disparurent. Alors, chaque jour, je changeai les boissons et les nourritures. Jamais *on* ne toucha aux choses solides, compactes, et on ne but, en fait de liquide, que du laitage frais et de l'eau surtout.

Mais ce doute poignant restait dans mon âme. N'était-ce pas moi qui me levais sans en avoir conscience, et qui buvais même les choses détestées, car mes sens engourdis par le sommeil somnambulique pouvaient être modifiés, avoir perdu leurs répugnances ordinaires et acquis des goûts différents.

Je me servis alors d'une ruse nouvelle contre moi-même. J'enveloppai tous les objets auxquels il fallait infailliblement toucher avec des bandelettes de mousseline blanche et je les recouvris encore avec une serviette de batiste.

Puis, au moment de me mettre au lit, je me barbouillai les mains, les lèvres et les moustaches avec de la mine de plomb.

A mon réveil, tous les objets étaient demeurés immaculés bien qu'on y eût touché, car la serviette n'était point posée comme je l'avais mise ; et, de plus, on avait bu de l'eau et du lait. Or ma porte fermée avec une clef de sûreté et mes volets cadenassés n'avaient pu laisser pénétrer personne.

Alors, je me posai cette redoutable question : Qui donc était là, toutes les nuits, près de moi ?

Je sens, Messieurs, que je vous raconte cela trop vite. Vous souriez, votre opinion est déjà faite : « C'est un fou. » J'aurais dû vous décrire longuement cette émotion d'un homme qui, enfermé chez lui, l'esprit sain, regarde, à travers le verre d'une carafe, un peu d'eau disparue pendant qu'il a dormi. J'aurais dû vous faire comprendre cette torture renouvelée chaque soir et chaque matin, et cet invincible sommeil, et ces réveils plus épouvantables encore.

Mais je continue.

Tout à coup, le miracle cessa. *On* ne touchait plus à rien dans ma chambre. C'était fini. J'allais mieux, d'ailleurs. La gaieté me revenait, quand j'appris qu'un de mes voisins, M. Legite, se trouvait exactement dans l'état où j'avais été moi-même. Je crus de nouveau à une influence fiévreuse dans le pays. Mon cocher m'avait quitté depuis un mois, fort malade.

L'hiver était passé, le printemps commençait. Or, un matin, comme je me promenais près de mon parterre de rosiers, je vis, je vis distinctement, tout près de moi, la tige d'une des plus belles roses se casser comme si une main invisible l'eût cueillie ; puis la fleur suivit la courbe qu'aurait décrite un bras en la portant vers une bouche, et resta suspendue dans l'air transparent, toute seule, immobile, effrayante, à trois pas de mes yeux.

Saisi d'une épouvante folle, je me jetai sur elle pour la saisir. Je ne trouvai rien. Elle avait disparu. Alors, je fus pris d'une colère furieuse contre moi-même. Il n'est pas permis à un homme raisonnable et sérieux d'avoir de pareilles hallucinations !

Mais était-ce bien une hallucination ? Je cherchai la tige. Je la retrouvai immédiatement sur l'arbuste, fraîchement cassée, entre deux autres roses demeurées sur la branche ; car elles étaient trois que j'avais vues parfaitement.

Alors je rentrai chez moi, l'âme bouleversée. Messieurs, écoutez-moi, je suis calme ; je ne croyais pas au surnaturel, je n'y crois pas même aujourd'hui ; mais, à partir de ce moment-là, je fus certain, certain comme du jour et de la nuit, qu'il existait près de moi un être invisible qui m'avait hanté, puis m'avait quitté, et qui revenait.

Un peu plus tard j'en eus la preuve.

Entre mes domestiques d'abord éclataient tous les jours des querelles furieuses pour mille causes futiles en apparence, mais pleines de sens pour moi désormais.

Un verre, un beau verre de Venise se brisa tout seul, sur le dressoir de ma salle à manger, en plein jour.

Le valet de chambre accusa la cuisinière, qui accusa la lingère, qui accusa je ne sais qui.

Des portes fermées le soir étaient ouvertes le matin. On volait du lait, chaque nuit, dans l'office. — Ah !

Quel était-il ? De quelle nature ? Une curiosité énervée, mêlée de colère et d'épouvante, me tenait jour et nuit dans un état d'extrême agitation.

Mais la maison redevint calme encore une fois ; et je croyais de nouveau à des rêves quand se passa la chose suivante :

C'était le 20 juillet, à neuf heures du soir. Il faisait très chaud ; j'avais laissé ma fenêtre toute grande ouverte, ma lampe allumée sur ma table, éclairant un volume de Musset ouvert à la *Nuit de Mai* ; et je m'étais étendu dans un grand fauteuil où je m'endormis.

Or, ayant dormi environ quarante minutes, je rouvris les yeux, sans faire un mouvement, réveillé par je ne sais quelle émotion confuse et bizarre. Je ne vis rien d'abord, puis tout à coup il me sembla qu'une page du livre venait de tourner toute seule. Aucun souffle d'air n'était entré par la fenêtre. Je fus surpris ; et j'attendis. Au bout de quatre minutes environ, je vis, je vis, oui, je vis, Messieurs, de mes yeux, une autre page se soulever et se rabattre sur la précédente comme si un doigt l'eût feuilletée.

Mon fauteuil semblait vide, mais je compris qu'il était là, lui ! Je traversai ma chambre d'un bond pour le prendre, pour le toucher, pour le saisir, si cela se pouvait... Mais mon siège, avant que je l'eusse atteint, se renversa comme si on eût fui devant moi ; ma lampe aussi tomba et s'éteignit, le verre brisé ; et ma fenêtre brusquement poussée comme si un malfaiteur l'eût saisie en se sauvant alla frapper sur son arrêt... Ah ! ...

Je me jetai sur la sonnette et j'appelai. Quand mon valet de chambre parut, je lui dis :

— J'ai tout renversé et tout brisé. Donnez-moi de la lumière.

Je ne dormis plus cette nuit-là. Et cependant j'avais pu encore être le jouet d'une illusion. Au réveil les sens demeurent troubles. N'était-ce pas moi qui avais jeté bas mon fauteuil et ma lumière en me précipitant comme un fou ?

Non ce n'était pas moi ! je le savais à n'en point douter une seconde. Et cependant je le voulais croire.

Attendez. L'Etre ! Comment le nommerai-je ? L'Invisible. Non, cela ne suffit pas. Je l'ai baptisé le Horla. Pourquoi ? Je ne sais point. Donc le Horla ne me quittait plus guère. J'avais jour et nuit la sensation, la certitude de la présence de cet insaisissable voisin, et la certitude aussi qu'il prenait ma vie, heure par heure, minute par minute.

L'impossibilité de le voir m'exaspérait et j'allumais toutes les lumières de mon appartement, comme si j'eusse pu, dans cette clarté, le découvrir.

Je le vis, enfin.

Vous ne me croyez pas. Je l'ai vu cependant.

J'étais assis devant un livre quelconque, ne lisant pas, mais guettant, avec tous mes organes surexcités, guettant celui que je sentais près de moi. Certes, il était là. Mais où ? Que faisait-il ? Comment l'atteindre ?

En face de moi mon lit, un vieux lit de chêne à colonnes. A droite ma cheminée. A gauche ma porte que j'avais fermée avec soin. Derrière moi une très grande armoire à glace qui me servait chaque jour pour me raser, pour m'habiller, où j'avais coutume de me regarder de la tête aux pieds chaque fois que je passais devant.

Donc je faisais semblant de lire, pour le tromper, car il m'épiait lui aussi ; et soudain je sentis, je fus certain qu'il lisait par-dessus mon épaule, qu'il était là, frôlant mon oreille.

Je me dressai, en me tournant si vite que je faillis tomber. Eh bien ! ... On y voyait comme en plein jour... et je ne me vis pas dans la glace ! Elle était vide, claire, pleine de lumière. Mon image n'était pas dedans... Et j'étais en face... Je voyais le grand verre limpide du haut en bas ! Et je regardais cela avec des yeux affolés, et je n'osais plus avancer, sentant bien qu'il se trouvait entre nous, lui, et qu'il m'échapperait encore, mais que son corps imperceptible avait absorbé mon reflet.

Comme j'eus peur ! Puis voilà que tout à coup je commençai à m'apercevoir dans une brume au fond du miroir, dans une brume comme à travers une nappe d'eau ; et il me semblait que cette eau glissait de gauche à droite, lentement, rendant plus précise mon image de seconde en seconde. C'était comme la fin d'une éclipse. Ce qui me cachait ne paraissait point posséder de contours nettement arrêtés, mais une sorte de transparence opaque s'éclaircissant peu à peu.

Je pus enfin me distinguer complètement ainsi que je fais chaque jour en me regardant.

Je l'avais vu. L'épouvante m'en est restée qui me fait encore frissonner.

Le lendemain j'étais ici, où je priai qu'on me gardât.

Maintenant, Messieurs, je conclus.

Le docteur Marrande, après avoir longtemps douté, se décida à faire, seul, un voyage dans mon pays.

Trois de mes voisins, à présent, sont atteints comme je l'étais. Est-ce vrai ?

*Le médecin répondit* : « C'est vrai ! »

Vous leur avez conseillé de laisser de l'eau et du lait chaque nuit dans leur chambre pour voir si ces liquides disparaîtraient. Ils l'ont fait. Ces liquides ont-ils disparu comme chez moi ?

*Le médecin répondit avec une gravité solennelle* : « Ils ont disparu. »

Donc, Messieurs, un Etre, un Etre nouveau, qui sans doute se multipliera bientôt comme nous nous sommes multipliés, vient d'apparaître sur la terre.

Ah ! Vous souriez ! Pourquoi ? parce que cet Etre demeure invisible. Mais notre œil, Messieurs, est un organe tellement élémentaire qu'il peut distinguer à peine ce qui est indispensable à notre existence. Ce qui est trop petit lui échappe, ce qui est trop grand lui échappe, ce qui est trop loin lui échappe. Il ignore les milliards de petites bêtes qui vivent dans une goutte d'eau. Il ignore les habitants, les plantes et le sol des étoiles voisines ; il ne voit pas même le transparent.

Placez devant lui une glace sans tain parfaite, il ne la distinguera pas et nous jettera dessus, comme l'oiseau pris dans une maison qui se casse la tête aux vitres. Donc, il ne voit pas les corps solides et transparents qui existent pourtant ; il ne voit pas l'air dont nous nous nourrissons, ne voit pas le vent qui est la plus grande force de la nature, qui renverse les hommes, abat les édifices, déracine les arbres, soulève la mer en montagnes d'eau qui font crouler les falaises de granit.

Quoi d'étonnant à ce qu'il ne voie pas un corps nouveau, à qui manque sans doute la seule propriété d'arrêter les rayons lumineux.

Apercevez-vous l'électricité ? Et cependant elle existe !

Cet être, que j'ai nommé le Horla, existe aussi.

Qui est-ce ? Messieurs, c'est celui que la terre attend, après l'homme ! Celui qui vient nous détrôner, nous asservir, nous dompter, et se nourrir de nous peut-être, comme nous nous nourrissons des bœufs et des sangliers.

Depuis des siècles, on le pressent, on le redoute et on l'annonce ! La peur de l'Invisible a toujours hanté nos pères.

Il est venu.

Toutes les légendes des fées, des gnomes, des rôdeurs de l'air insaisissables et malfaisants, c'était de lui qu'elles parlaient, de lui pressenti par l'homme inquiet et tremblant déjà.

Et tout ce que vous faites vous-mêmes, Messieurs, depuis quelques ans, ce que vous appelez l'hypnotisme, la suggestion, le magnétisme — c'est lui que vous annoncez, que vous prophétisez !

Je vous dis qu'il est venu. Il rôde inquiet lui-même comme les premiers hommes, ignorant encore sa force et sa puissance qu'il connaîtra bientôt, trop tôt.

Et voici, Messieurs, pour finir, un fragment de journal qui m'est tombé sous la main et qui vient de Rio de Janeiro. Je lis : « Une sorte d'épidémie de folie semble sévir depuis quelques temps dans la province de San-Paulo. Les habitants de plusieurs villages se sont sauvés abandonnant leurs terres et leurs maisons et se prétendent poursuivis et mangés par des vampires invisibles qui se nourrissent de leur souffle pendant leur sommeil et qui ne boiraient, en outre que de l'eau, et quelquefois du lait ! »

J'ajoute : Quelques jours avant la première atteinte du mal dont j'ai failli mourir, je me rappelle parfaitement avoir vu passer un grand trois-mâts brésilien avec son pavillon déployé... Je vous ai dit que ma maison est au bord de l'eau... Toute blanche... Il était caché sur ce bateau sans doute...

Je n'ai plus rien à ajouter, Messieurs.

Le docteur Marrande se leva et murmura :

— Moi non plus. Je ne sais si cet homme est fou ou si nous le sommes tous les deux..., ou si... si notre successeur est réellement arrivé.

# INDICATIONS BIBLIOGRAPHIQUES ET FILMOGRAPHIQUES

L'édition de référence pour tous les récits brefs de Maupassant est celle de Louis FORESTIER, *Maupassant, Contes et nouvelles*, 2 vol., Paris, Gallimard, Bibliothèque de la Pléiade, 1974-1979.

Pour la biographie de Maupassant, au livre plein de préjugés de Paul MORAND, *La vie de Guy de Maupassant*, Paris 1941 et 1958, on préférera celui d'Armand LANOUX, *Maupassant le Bel-Ami*, Paris, Fayard, 1967, et celui de M. ANDRY, *Bel-Ami, c'est moi*, Paris, Presses de la Cité, 1982.

Les principales études en français sur les contes de ce recueil sont les suivantes :

BANCQUART Marie-Claire : *Maupassant conteur fantastique*, Paris, Minard, Lettres modernes, 1976.

CASTELLA Charles : « Une divination sociologique : les contes fantastiques de Maupassant (1875-1891) », in *Agencer un univers nouveau*, textes réunis par Louis Forestier, Paris, Minard, Lettres modernes, 1976.

CASTEX Pierre-Georges : *Le conte fantastique en France de Nodier à Maupassant*, Paris, Corti, 1951.

PONNEAU Gwenhaël : *La folie dans la littérature fantastique*, Toulouse, Ed. du C.N.R.S., 1987.

SAVINIO Alberto : *Maupassant et l'« Autre »*, trad. M. Arnaud, Paris, Gallimard, 1977.

VIAL André : « Le lignage clandestin de Maupassant conteur fantastique », *Revue d'histoire littéraire de la France*, 1973, n° 6.

Sur *Le Horla*, on peut consulter :

CHAMBERS Ross : « La lecture comme hantise. *Spirite* et *Le Horla* », *Revue des sciences humaines*, 1980, n° 1.

DENTAN Michel : « *Le Horla* ou le vertige de l'absence », *Etudes de lettres*, 1976, n° 2.

HAMON Philippe : « *Le Horla* de Guy de Maupassant, Essai de description structurale », *Littérature*, 1971, n° 4.
NEEFS Jacques : « La représentation fantastique dans *Le Horla* de Maupassant », *Cahiers de l'Association internationale des Etudes françaises*, 1980, n° XXXII.
TARGE André : « Trois apparitions du *Horla* », *Poétique*, 1975, n° 24.

*Filmographie*

*La chevelure*, 1961, France, réalisé par Ado Kyrou (avec Michel Piccoli).
*L'étrange histoire du Juge Cordier* (*Diary of a Mad Man*), 1962, U.S.A., réalisé par R. Le Borg (avec Vincent Price et Nancy Kovack).
*Le Horla*, 1966, France, réalisé par J.-D. Pollet (avec Laurent Terzieff).

# TABLE DES MATIÈRES

**PRÉFACE** .......... 5

*La main d'écorché* .......... 13
*Sur l'eau* .......... 19
*La peur* .......... 27
*Le loup* .......... 35
*Conte de Noël* .......... 41
*Auprès d'un mort* .......... 47
*Apparition* .......... 53
*Lui ?* .......... 61
*La main* .......... 69
*La chevelure* .......... 77
*Le tic* .......... 85
*Un fou ?* .......... 91
*Lettre d'un fou* .......... 99
*Un cas de divorce* .......... 107
*Le Horla* .......... 115
*La nuit* .......... 143
*L'homme de Mars* .......... 149
*Qui sait ?* .......... 157

**LES CLÉS DE L'ŒUVRE** .......... 171

I - AU FIL DU TEXTE

1. DÉCOUVRIR .......... V
   - La date
   - Le titre
   - Composition :
     - Point de vue de l'auteur
     - Structure de l'œuvre

2. LIRE .......... IX

- Droit au but
  - *Le Horla*
- En flânant
  - *La peur*
- Les thèmes clés

3. POURSUIVRE .......... XII

- Lectures croisées
- Pistes de recherches
  - Maupassant fantastique
  - Le fantastique de Maupassant dans son siècle
- Parcours critique
- Un livre/un film

## II - DOSSIER HISTORIQUE ET LITTÉRAIRE

REPÈRES .......... 173
LA LÉGENDE DU CONTEUR FOU .......... 181
QU'EST-CE QUE LE FANTASTIQUE ? .......... 185
LA PSYCHIATRIE DE L'ÉPOQUE : CHARCOT .......... 191
LA PREMIÈRE VERSION DU *HORLA* .......... 199
BIBLIOGRAPHIE ET FILMOGRAPHIE .......... 207

## Une autre façon de lire

*Vous trouverez présentés dans les pages qui suivent des livres qui se sont imposés comme des chefs-d'œuvre. Mais si Pocket les a choisis, c'est surtout qu'ils continuent de marquer notre temps par leur incroyable modernité.*
*Pour que lire un classique soit toujours une découverte, Pocket vous propose une sélection d'ouvrages en texte intégral enrichis d'un dossier complet contenant biographie de l'auteur, contexte historique et littéraire, et clés de lecture.*

◀ Raymond RADIGUET
**Le Diable au corps**

Découvert par Cocteau, Radiguet, à l'image de Rimbaud, est un prodige que la mort surprendra trop tôt. *Le Diable au corps* raconte l'histoire d'un amour fou entre un adolescent et une jeune femme dont l'époux est parti combattre sur le front. Peignant le désœuvrement des temps de guerre, l'égoïsme du plaisir et du bonheur clandestin, ce roman scandalise par son cynisme et son immoralité.

POCKET n° 6044

Oscar WILDE ▶
**Le Portrait de Dorian Gray**

Corrompu par les théories hédonistes de Lord Henry, Dorian est jaloux de son propre portrait peint par son ami, Basil Hallward. Il en vient à souhaiter que le tableau vieillisse à sa place et son vœu est exaucé. Dorian enferme la toile et retourne à son existence. Sous l'influence de Lord Henry, il mène sans remords une vie dissolue. Jusqu'au jour où Basil découvre son secret...

POCKET n° 6066

*Imprimé en France par* CPI
en mars 2017

POCKET - 12, avenue d'Italie - 75627 Paris Cedex 13

N° d'impression : 2028960
Dépôt légal : mars 1998
Suite du premier tirage : mars 2017
S19991/07